JN022915

それは丘の上から始まった

1923年 横浜の朝鮮人・中国人虐殺

後藤周
Goto Amane

編集◉加藤直樹

ころから

はじめに

「それは丘の上から始まった」

関東大震災（1923年）時に横浜で起きた朝鮮人・中国人虐殺について調べてきました。最初のフィールドワークは1990年でしたから、もうずいぶん前のことになります。横浜市立南吉田小学校で「震災作文」が発見された時（2004年）から小さな歴史学習会が始まり、退職（2009年）を機に「研究ノート」を作るようになりました。本書は、150号を数える研究ノートや仲間と続けてきた歴史学習会など、ささやかな取り組みから生まれたものです。

ヘイトスピーチや排外主義的な動きが勢いを増すかのような現在です。関東大震災の流言、虐殺とは何だったのか、そこから何を受け取るのかが、改めて問われます。流言から虐殺へと突き進んだ歴史を繰り返してはなりません。ふたたび外国人を標的にした流言、恐怖心や敵意を煽るようなヘイトデマが現れたとしても、決して揺るがない社会が実現することを、私は望んでいます。そのためにも、関東大震災の流言、虐殺の歴史を多くの人がよく知り、そこから学ぶことが大切だと思うのです。

内閣府中央防災会議の専門調査委員会がまとめた『１９２３関東大震災【第2編】』は、震災直後の行政や社会の動向を中心に経緯をまとめ、そこから導き出される教訓を記したものですが、そこでは流言の拡大や朝鮮人・中国人虐殺について大きく取り上げ、次のように記しています。

「自然災害がこれほどの規模で人為的な殺傷行為を誘発した例は日本の災害史上、他に確認できず、大規模災害時に発生した最悪の事態として、今後の防災活動においても念頭に置く必要がある」

ここで言う「最悪の事態」とは、どういうことでしょうか。

それは第一に、幸いにも震災を生きのびた人が、その直後に殺されたということです。殺されたのは主に朝鮮人、中国人です。そして、多くの朝鮮人・中国人が殺されたということは、多くの日本人が殺人者になったということです。横浜市内には「朝鮮人殺害さしつかえなしという布告が、警察から出ている」という流言が広がり、多くの人がそれを信じました。そして、虐殺が平然と行われました。

また流言・虐殺による混乱のため、救援・救護活動が遅れました。そのため助かったかもしれない命が放置され、失われました。これが「最悪の事態」のもう一つの意味です。

赤十字大阪病院の救護班は、「シカゴ丸」で9月3日夜に横浜港に到着しました。横浜への最初の救援船でした。しかし、上陸許可が下りず、救護班の上陸は5日になります。救護班の記録は次のように述べています。

「流言蜚語(ひご)は旺(さか)んに流布せらるる為、一刻をも争ふべき救護班の上陸は遂に容れられず。空しく船上にて待つの已むを得ざるに至れり」

「最悪の事態」、それは災害を生きのびた人びとの命を奪い、助かったかもしれない命が放置され、失われ、多くの人びとが殺人者となった事態でした。

その背景には、日本の朝鮮に対する植民地支配がありました。侵略、支配に無自覚であれば、そこに朝鮮人への無理解、抜きがたい差別意識、抵抗運動への恐れが生じます。このような差別意識、恐怖感が煽られる中で、「朝鮮人暴動」の流言が事実と信じられ、広範な迫害・虐殺となったのです。

ただし具体的な状況は、朝鮮人虐殺の起きた地域によって大きく違います。

官憲の主導下に自警団が組織され、「官民一体の虐殺」が行われた地域もあれば、民衆が官憲に従わず、警察を排除して朝鮮人を虐殺した地域もありました。「軍隊、内務省・警察の上層部が流言を意図的、計画的に流布し、軍隊・警察の主導の下に虐殺が行われ、その承認の下に民衆は虐殺に加担した」という見解もありますが、横浜の事実からは、そうした見解は成り立ちません。

横浜は震火災の被害がひときわ大きく、東京など外の地域との通信交通が途絶し、孤立した地域になりました。陸軍部隊が横浜に上陸したのは3日午前11時です。しかし、その時すでに流言・虐殺は横浜全市に広がっていました。孤立したなかで、外からの影響を受けずに流言と虐殺が始まり、主に地域の行政・警察の誤った対応や行動と、民衆に広まった恐怖心が乱反射しながら、被害が拡大激化していったのです。

そして横浜は、関東一円に広がった朝鮮人・中国人虐殺という「最悪の事態」の、大きな発火点となりました。

私は、横浜の虐殺について調べる中で、思い込みや安易な解釈を排し、確かな事実を求めて資料に向かうことに努めてきました。

歴史、社会の動きは、多様な人間がつくり出す重層した複雑な現実です。そうした歴史を見つめ直すには、安易な解釈に固執することなく、複雑で多様なものをそのままに見ていくことが必要です。そのためには、資料を丁寧に読み解くしかありません。多様な事実を踏まえ、いま分からないことは後世の研究に委ねながら、常に多様な事実を踏まえた新しい視点をもって真相を探ることが必要です。

本書には、そうして明らかになってきた「横浜の事実」を書きました。横浜で起きた「最悪の事態」を、多くの人に共有していただき、この歴史を伝えていきたいというのが、私の願いです。


フィールドワークのたびに、横浜は丘と坂の街だと実感します。コースは決まって「坂を上り、丘から丘をたどり、丘を下る」ことになります。

1923年9月1日の関東大震災時、横浜は甚大な被害を受け、市街地のほとんどが焼失しました。火に追われた人びとは丘へ逃げました。丘は避難地であり、坂は避難路でした。そして、避難先となった南の丘で「朝鮮人暴動」の流言が生まれ、虐殺が始まったのです。「朝鮮人が襲ってくる。武器を手に取れ。殺してもさしつかえなし」。集団をつくり、暴行・虐殺という行動を伴う強力な流言は、翌2日、南の丘から北の丘へ伝わり、全市に拡大しました。

すべては丘の上から始まりました。本書でも、フィールドワークと同様に、いまでは横浜ランドマークタワーの見える丘の上に登り、そこで起きた出来事からお話ししたいと思います。

目次

第2章　虐殺は「平楽の丘」から始まった　75

第3章　大川常吉署長――「美談」から事実へ　117

写真撮影＝内田和稔（本扉、21頁、26頁、238頁を除く）

関連地図

9〜13頁の本書関連地図は、別刷りのカラー版（B4サイズ）を、本書に折り込んでおります。

下記サイトで閲覧・ダウンロードすることもできますので拡大してご覧になられたい方は活用ください。（ころから編集部）

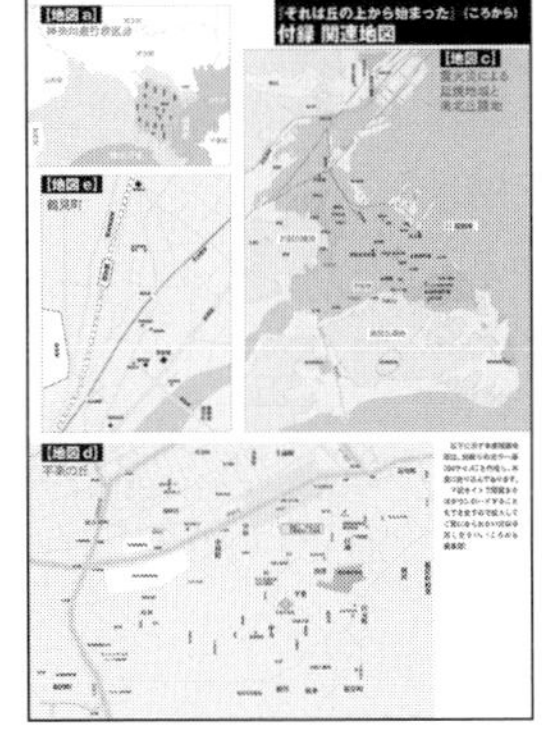

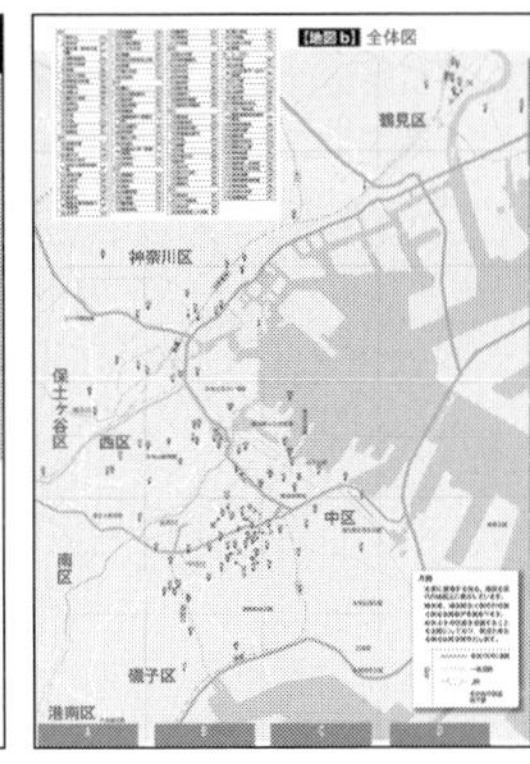

http://korocolor.com/news/202308-9784907239695-map01.html

【地図 a】 神奈川県行政区分

2023 年現在の神奈川県の行政区分を示します。なお、1923 年当時の横浜市は、現在の中区と西区の全域に、神奈川区、南区、磯子区の一部を加えた地域です。

【地図 b】 全体図

本書に登場する地名、施設を現在の地図上に表示しています(番号は14頁からの「地図インデックス」に対応)。鶴見署、横浜駅など現在の位置と異なる施設が多数あります。また、おおよその位置を認識することを主眼に作成しており、現況と異なる場合は現況優先とします。

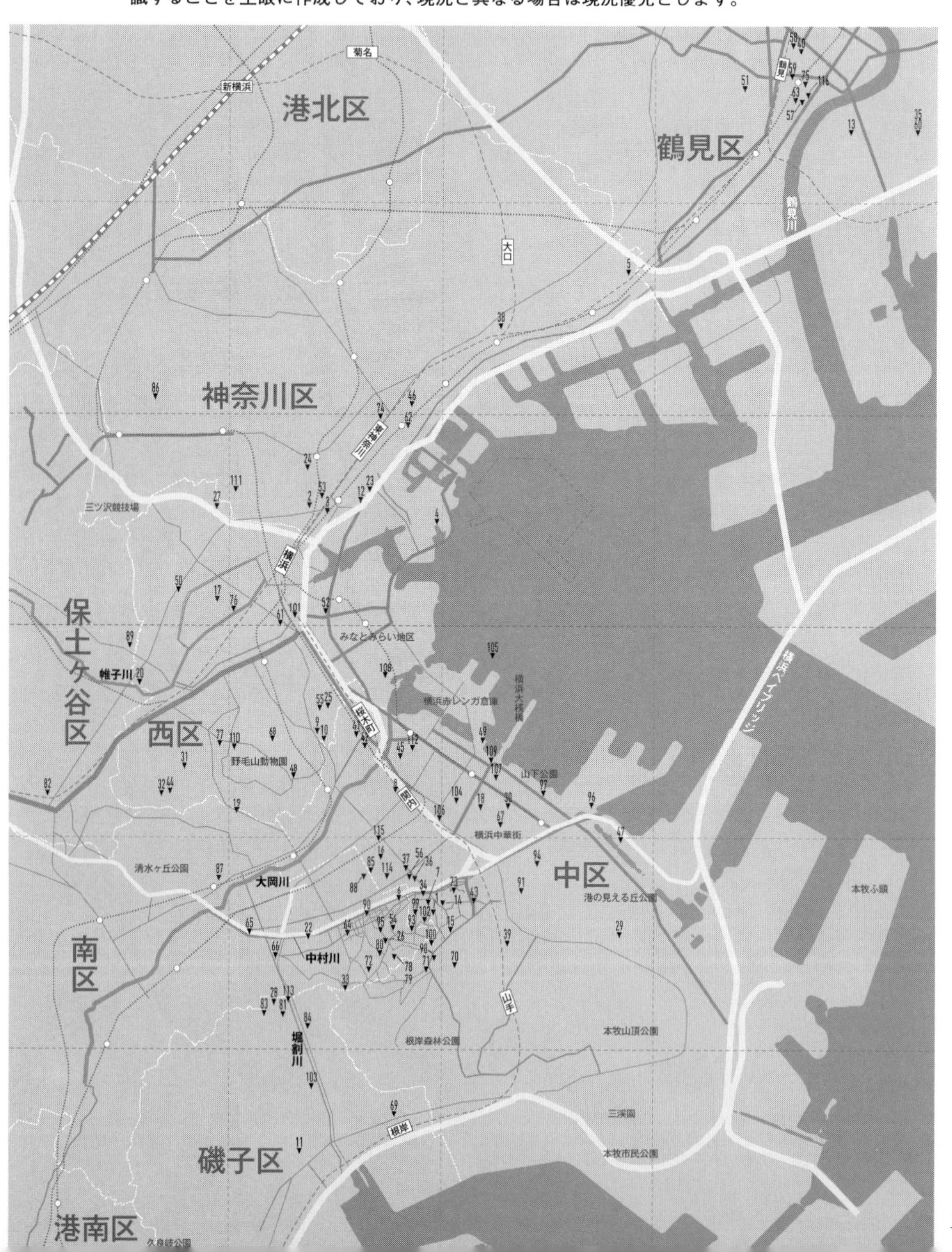

【地図c】 震火災による延焼地域と南北丘陵地

1923年当時の横浜市中心部の地図に、震火災による延焼地域を示しています。延焼地域の南部と北部に丘陵地が広がり、火災を生き延びた人たちが避難しました。(第1章参照)

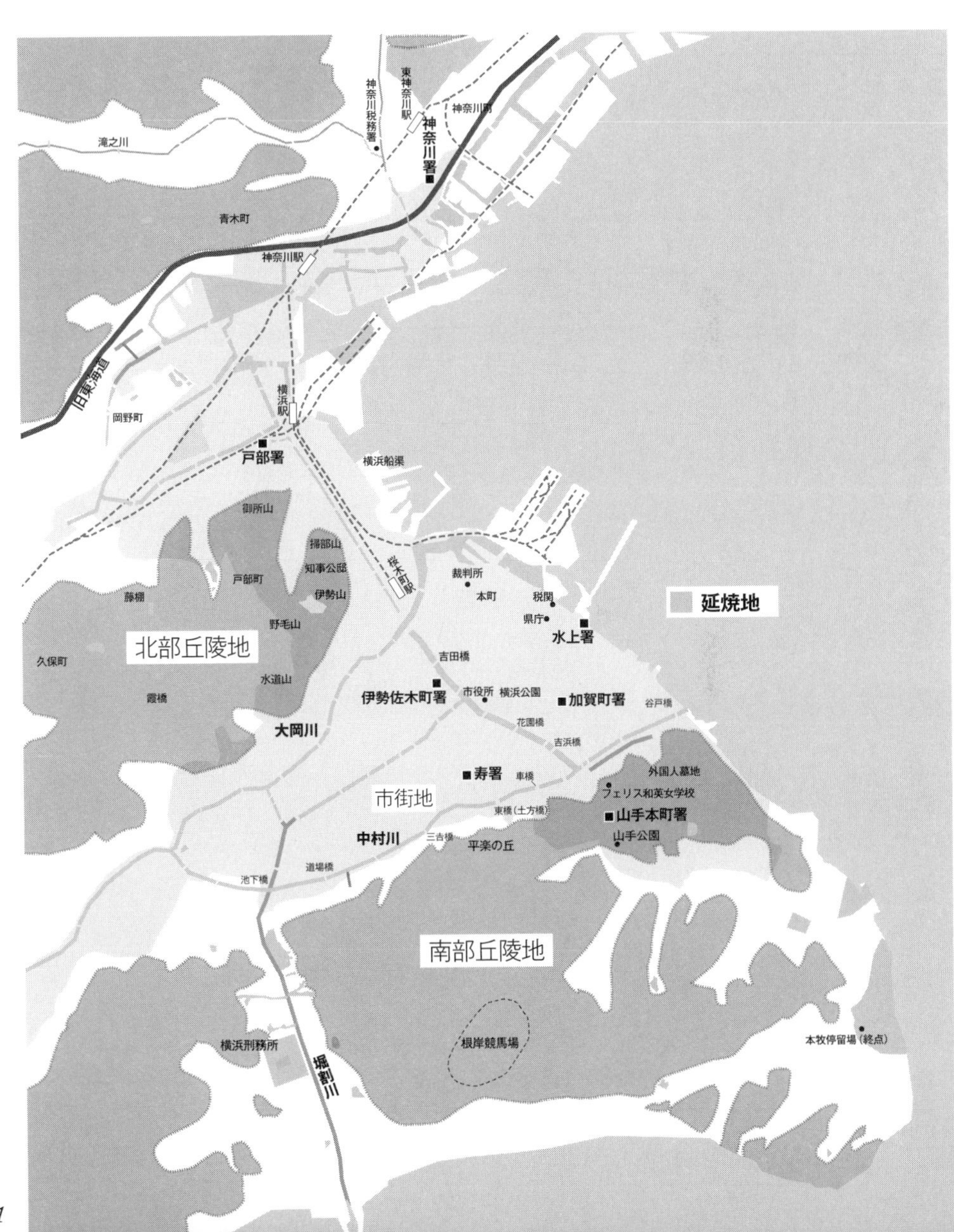

震火災から逃れた人が避難した南部丘陵地の中心をなすのが平楽の丘。ここで「朝鮮人暴動」のデマが広がり、たちまちのうちに虐殺事件へと発展したのです。（第1章、2章参照）

【地図 d】 平楽の丘

【地図 e】 鶴見町

1923年当時の地図に、第3章「大川常吉署長 ──「美談」から事実へ」に登場する施設などを示しました。横浜で虐殺が多発していた同時期に隣町の鶴見町でどのような「熟議」がなされていたのかを知ることは、「天災のち人災」を二度と起こさない大きなヒントになります。（第3章参照）

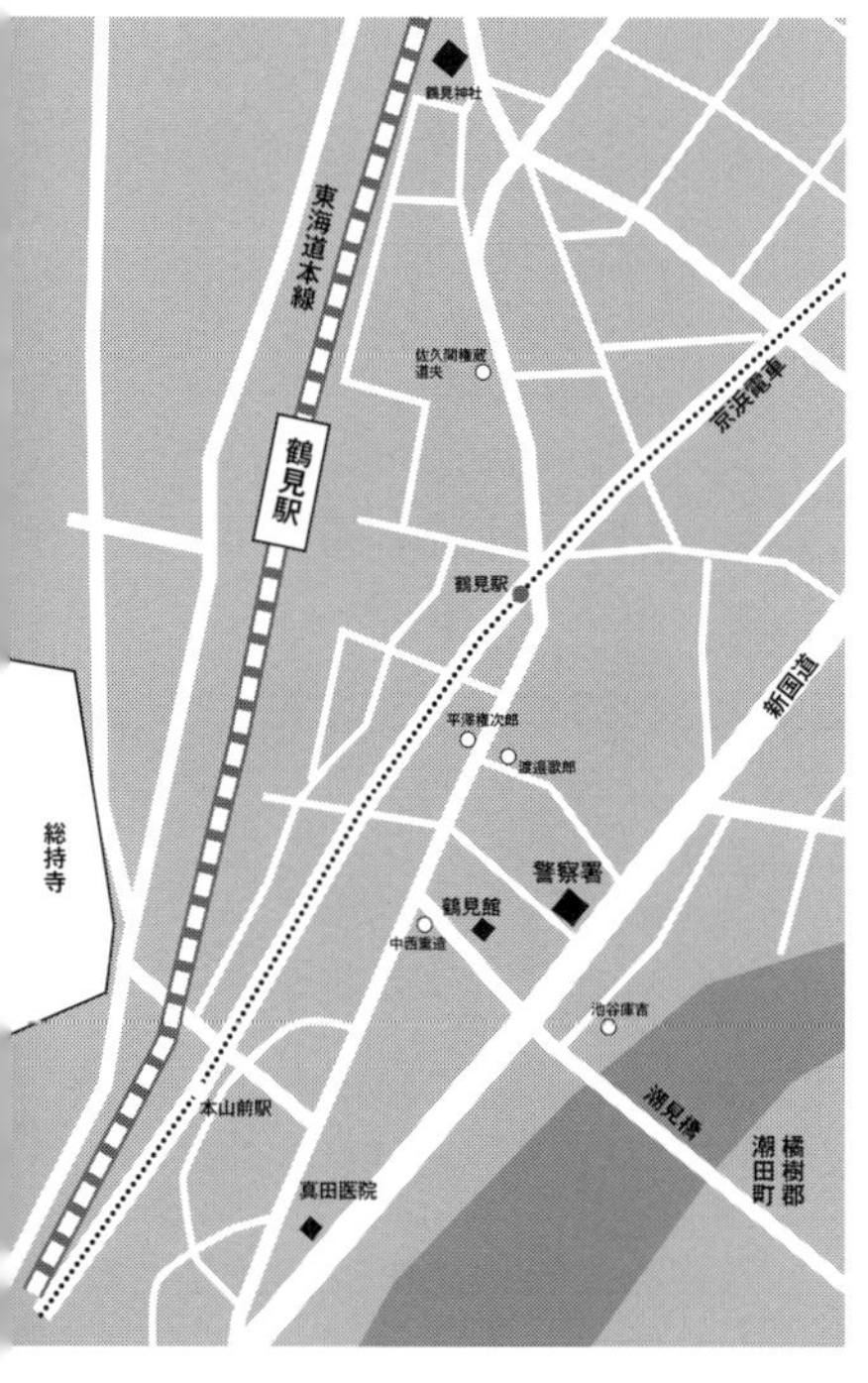

地図インデックス

別刷りの【地図1】と本書掲載【地図b】の地名・施設のインデックスです。地名等を50音順に並べ、番号および地図のエリア、登場頁を示しました。地名索引として活用ください。

1

	地点番号	地名	よみ	地図座標	本文ページ
あ行	1	相沢山	あいざわやま	C5	31, 32, 34
	2	青木町	あおきちょう	B3	49, 63, 145, 201, 217, 233, 239, 240, 262
	3	青木橋（神奈川鉄橋）	あおきばし	B3	203,257, 260, 261, 262, 263
	4	浅野造船所	あさのぞうせんじょ	B3	120, 260
	5	浅野中学校	あさのちゅうがっこう	C2	41
	6	東橋	あずまばし	B5	77, 107, 179, 193, 194
	7	石川小学校	いしかわしょうがっこう	B5	43, 79, 81, 86, 103, 104, 105, 202, 218, 265, 266
	8	伊勢佐木町署	いせざきちょうしょ	B4	25, 33, 47, 48, 123, 178, 215
	9	伊勢町	いせちょう	B4	35, 215
	10	伊勢山	いせやま	B4	23, 25, 35, 38
	11	磯子小学校	いそごしょうがっこう	B6	81, 265
	12	岩崎山	いわさきやま	B3	199, 201, 202, 203, 217, 263
	13	潮田町	うしおだまち	D1	120, 123, 124, 125, 130, 135, 147, 148, 149, 152, 160
	14	牛坂	うしざか	C5	77
	15	打越	うちこし	C5	31, 34, 77, 82, 108, 218, 253
	16	永楽町	えいらくちょう	B5	77, 114
	17	岡野町	おかのちょう	A3	33, 59, 262
か行	18	加賀町署	かがちょうしょ	C4	25, 47, 48, 63, 65, 215, 220
	19	霞橋	かすみばし	B4	43
	20	帷子川	かたびらがわ	A4	49, 50, 73
	21	神奈川県庁	かながわけんちょう	C4	23
	22	神奈川県揮発物貯庫	かながわけんきはつぶつちょこ	B5	78
	23	神奈川署	かながわしょ	B3	25, 33, 36, 47, 48, 49, 50, 53, 58, 167, 178, 181, 215
	24	上反町	かみたんまち	B3	58, 262
	25	掃部山	かもんやま	B4	35
	26	唐沢	からさわ	B5	31, 34, 47, 77, 84, 90, 105, 107, 108, 109
	27	軽井沢	かるいざわ	A3	63

2

3

行	No.	地名	よみ	位置	頁
た行	59	鶴見町	つるみまち	D1	13, 15, 36, 118, 121, 122, 123, 124, 125, 126, 127, 131, 135, 142, 143, 144, 145, 146, 150, 157, 160, 211, 229, 264, 265
	60	東漸寺	とうぜんじ	D1	152, 153, 155, 255
	61	戸部署	とべしょ	B3	25, 33, 42, 47, 48, 49, 50, 51, 52, 53, 54, 55, 56, 58, 59, 60, 63, 71, 76, 100, 167, 178, 182, 215, 244, 245
な行	62	仲木戸駅	なかきどえき	B3	188
	63	中西重蔵〈宅〉	なかにしじゅうぞうたく	D1	124, 134, 135
	64	中村町	なかむらちょう	B5	31, 32, 33, 34, 39, 44, 46, 56, 63, 77, 80, 82, 84, 87, 90, 98, 102, 114, 178, 181, 187, 191, 192, 193, 194, 195, 200, 202, 211, 218, 234
	65	中村川	なかむらがわ	C5	65, 66, 77, 78, 105, 107, 114, 194
	66	中村橋	なかむらばし	B5	65, 209
	67	南京町	なんきんまち	C4	170, 179, 180, 181, 195
	68	西戸部	にしとべ	B4	28, 47, 63, 65, 178, 187
	69	根岸町	ねぎしちょう	B6	30, 31, 32, 33, 34, 44, 78, 79, 81, 82, 87, 220
	70	根岸町柏葉	ねぎしちょうかしわば	C5	32, 34
	71	根岸町字猿田	ねぎしちょうあざさるた	B5	44
は行	72	蓮池坂	はすいけざか	B5	77
	73	花屋本店	はなやほんてん	C5	191, 193, 194
	74	東神奈川駅	ひがしかながわえき	B2	28, 188
	75	平澤権次郎〈宅〉	ひらさわごんじろうたく	D1	124, 134, 135, 140, 142, 145
	76	平沼	ひらぬま	B3	63
	77	藤棚	ふじだな	A4	46, 47, 49, 54, 56, 60, 63, 67, 110, 231
	78	平楽	へいらく	B5	31, 34, 42, 77, 79, 80, 86, 89, 94, 99, 102
	79	平楽の丘	へいらくのおか	B5	43, 75, 76, 77, 78, 81, 82, 84, 85, 86, 89, 90, 96, 99, 100, 101, 102, 104, 110, 253, 266
	80	蛇坂	へびざか	B5	77
	81	宝生寺	ほうしょうじ	B5	229, 230, 231, 232, 233, 234, 235, 241, 243, 244, 247, 251, 252, 253, 254, 264
	82	保土ヶ谷町	ほどがやまち	A4	23, 33, 36, 50, 52, 53, 63, 65, 67, 71, 72, 73, 125
	83	堀内町	ほりのうちちょう	B5	43, 229, 233
	84	堀割川	ほりわりがわ	B6	77, 78
ま行	85	真金町	まがねちょう	B5	77, 113, 114
	86	三ツ沢墓地	みつざわ　ぼち	A2	240, 241, 246, 248, 254
	87	南太田	みなみおおた	A5	33, 59
	88	南吉田第二小学校	みなみよしだだいにしょうがっこう	B5	81, 103, 266
	89	峯小学校	みねしょうがっこう	A4	53

4

	No.	名称	よみ	位置	頁
ま行	90	三吉橋	みよしばし	B5	77, 82, 107
	91	元街小学校	もとまちしょうがっこう	C5	58
	92	猿坂	モンケさか	C5	77
やらわ行	93	やぎ坂	やぎざか	B5	77
	94	山手本町署	やま(の)てほんちょうしょ	C5	25, 33, 44, 47, 48, 215
	95	山口正憲〈宅〉(山口産院)	やまぐちせいけんたく	B5	80, 84, 85, 89, 91, 93, 94, 95, 96, 101, 109, 110, 112, 113, 115, 161, 162, 193, 200, 215, 222, 266
	96	山下橋	やましたばし	C4	38, 63, 64, 67, 187, 195, 196
	97	山下町	やましたちょう	C4	33, 47, 67, 170, 179, 180, 192, 234
	98	山元町	やまもとちょう	B5	30, 31, 32, 34, 81, 82, 87, 98, 112
	99	遊行坂	ゆぎょうざか	B5	34, 77, 105, 107
	100	横浜植木会社	よこはまうえきかいしゃ	B5	47, 77, 88, 89, 91, 97, 105, 109, 202
	101	〈旧〉横浜駅	よこはまえき	B4	21, 41, 49, 100, 187, 261, 262
	102	(朝鮮基督教会)横浜教会	よこはまきょうかい	B5	244, 253
	103	横浜刑務所	よこはまけいむしょ	B6	69, 78, 97, 100
	104	横浜公園	よこはまこうえん	C4	23, 25, 26, 32, 34, 47, 63, 65, 90, 181, 220, 234
	105	横浜港	よこはまこう	C4	2, 17, 55, 64, 145, 180
	106	横浜市役所	よこはましやくしょ	C4	20, 23, 25, 47
	107	横浜水上署	よこはますいじょうしょ	C4	25, 47, 48, 55
	108	横浜船渠	よこはませんきょ	B4	27
	109	横浜税関	よこはまぜいかん	C4	27, 28, 193
	110	横浜第一中学校	よこはまだいいちちゅうがっこう	B4	41, 47, 54
	111	横浜第二中学校	よこはまだいにちゅうがっこう	B3	41
	112	横浜地裁	よこはまちさい	B4	41, 43, 112, 201
	113	横浜爆発物貯庫	よこはまばくはつぶつちょこ	B5	78
	114	横浜遊廓	よこはまゆうかく	B5	77, 114
	115	吉田小学校	よしだしょうがっこう	B5	102, 264, 265
	116	渡邊医院	わたなべいいん	D1	120, 121, 124

凡例

・史料等からの引用に際しては、旧字を常用漢字に改めた場合がある(例：横濱→横浜、神奈川縣→神奈川県)。また、かな遣いについては、便宜的に現代かな遣いに改めた場合がある。

・引用に際しての出典については、各見開きページの脚注に示した。

・「鮮人」「支那」など現代においては不適切な歴史用語も、そのまま使用している場合がある。

・年号については基本的に西暦表示とし、便宜をはかるため日本式年号を補足した場合がある。

第1章

横浜は「虐殺の地」だった

序説

関東大震災が発生したのは1923(大正12)年9月1日午前11時58分のことです。震源は神奈川県西部、地震の規模はマグニチュード7・9、最大震度7に達したと推定されます。震災全体の死者・行方不明者は10万5000人。そのうち88%は焼死者でした。

関東大震災は、「東京の地震」として語られる傾向があります。しかし本来であれば「神奈川の地震」だったと言うべきでしょう。神奈川県に本震の震源地があり、県全域が震度6弱以上、相模湾沿岸地域と横浜、横須賀は震度7となりました。山地・丘陵は各所で崩壊や地すべり、土石流を起こし、鎌倉などの沿岸には津波が押し寄せました。特に横浜は、その中心部が焼失し、その被害は東京以上に深刻であったと言えます。

そして実は、震災後の朝鮮人虐殺の様相も、横浜は東京以上に凄惨で、大規模でした。当時の公的資料は、横浜市方面こそが朝鮮人流言の発生地であり、朝鮮人殺傷事件の被殺者が最も多かった地域としています。

たとえば、『震災後に於ける刑事事犯及之に関聯(かんれん)する事項調査書』▼Aは、「第二章　鮮人犯行の流言」で、横浜からの流言が三つの経路で東京市内に伝わったとしています。

また、『震災後ノ警備一班　未定稿』▼Bは、内務省の把握した朝鮮人殺傷事件の件数と被殺者数を府県別にまとめています。朝鮮人殺傷事件の件数、殺された朝鮮人数ともに最も多いのが神奈川県です。

▼A　司法省1923年

▼B　内務省警保局警務課1923年

▼C　横浜市役所、1927年。以下、『市震災誌』

▼D　『市震災誌』2頁

▼E　水月道場、1924年

▼F　同書　216~217頁

また公的資料ではありませんが、吉野作造が伝える「朝鮮罹災同胞慰問班」の調査報告でも横浜方面の虐殺数が最多となっています（同慰問班は、朝鮮人学生たちの調査団で、山田昭次氏によれば正式名称は「在日本関東地方罹災朝鮮同胞慰問班」という）。ここでは神奈川を含む8府県の虐殺地と被殺者数が報告されています。

横浜の虐殺が激しかったことは、市当局や警察幹部たちも認めています。例えば『横浜市震災誌第四冊』[C]には「本市は震災第一日の夜、根岸方面に於て既に暴動浮説が生れて、翌二日からは全市近郷隈なく暴状を呈し、暴民による多数の殺害を見、大なる不祥事を惹起するに至ったのである」[D]と記されていますし、戸部警察署の署長・遠藤至道がまとめた記録『補天石』[E]には「到るところ血腥き殺傷事件を惹起したことは、世人の知悉してゐる事実」[F]とあります。

1923年9月1日からの数日間、横浜は「虐殺の地」だったのです。

震災直後の横浜駅。屋根のない貨物車に多くの避難民の姿が見える
（関東鉄道局「関東地方大震火災写真帳」より）

ところが、「多数の殺害」があったにもかかわらず、朝鮮人殺傷によって起訴された事件は横浜市内では1件のみ。行政や警察も、ほとんど公的な記録を残していません。そもそも横浜の虐殺については確たる資料が少なく、解明されていないことがあまりにも多いのです。なぜでしょうか。それはやはり、横浜の虐殺がどのように始まり、展開したのかという経緯と大きく関わっています。

関東大震災時の朝鮮人虐殺の背景には、日本の朝鮮に対する植民地支配がありました。侵略、支配に対して無自覚であれば、そこには朝鮮人への無理解、抜き難い差別意識、抵抗運動への恐怖などが生じます。このような差別意識・恐怖感が煽られるなかで、朝鮮人暴動の流言が事実と信じられ、広範な迫害・虐殺となりました。

ただし、これはあくまで基本的な理解です。具体的な迫害・虐殺の過程はさらに複雑です。官憲が自警団の結成を命令し、官民一体となって朝鮮人への迫害・虐殺が行われたという単純な話ではなく、民衆もまた独自の意思で集団行動を取り、官憲に働きかけ、そのせめぎ合いの結果として虐殺の多様な「事実」が現れたのです。そのため、虐殺は地域と時期によって異なった展開、異なった様相を見せることになります。

私は長年、横浜の朝鮮人虐殺について研究してきました。その中で努めてきたのは、安易な解釈や論を慎み、一つひとつの史料をていねいに読むことでした。それによって、横浜で起きたことが少しずつ分かってきました。その成果を、本書で皆さんと共有していきたいと考えています。

第1節　横浜の関東大震災

震災被害と行政機関の潰滅

1923年9月1日、横浜市は関東大震災によって壊滅的な被害を受けました。

当時の横浜市の市域は、今の3分の1ほど。現在の中区と西区の全域に、神奈川区、南区、磯子区の一部を加えた地域です。そして、中心となる市街地は関内(かんない)、関外(かんがい)と呼ばれる釣鐘状の地域で、これは江戸時代の吉田新田に始まる埋立地です。埋立地の地盤は軟弱で地震に弱く、至るところで水が噴き出し、開港以来の煉瓦造りの建物はほとんどが倒潰しました。さらに市内228カ所から出火し[▼A]、市街地は焼失します。焼失を免れたのは、市街地周辺の丘陵地と、1901年に横浜市に編入された、神奈川町から保土ヶ谷町に至る東海道沿いの地域だけでした。市内の死者・行方不明者は2万6623人。全人口に対する死者・行方不明者数の割合は約6％で、東京市約3％の2倍になります。【表1】

横浜における朝鮮人虐殺を考える上で特に重要な意味を持つのは、市の中心部の潰滅で行政・治安機能がマヒし、中央との通信連絡網が途絶して孤立した地域となった事実です。

神奈川県庁と横浜市役所は1日に焼失し、安河内麻吉知事をはじめ県庁や市役所の幹部たちは横浜公園に避難します。ところが横浜公園も火に囲まれて身動きが取れません。同日夕刻、知事は松原内務部長らと公園を脱出し、伊勢山の知事官邸に向

▼A　自火208、飛火15、不明5

【表1】 横浜市と東京市の被害比較

■ 住家被害棟数

	焼失	全壊	半壊	計
横浜市	25,324	5,332	4,380	35,036
東京市	166,191	1,458	1,253	168,902

■ 罹災人口、死者・行方不明者数

	全人口(A)	死者・不明者数				B/A %
		火災	住家倒潰	その他	計 (B)	
横浜市	446,600	24,646	1,977	0	26,623	**5.96**
東京市	2,265,300	65,902	2,758	0	68,660	**3.03**

中央防災会議「1923関東大震災 第一編」を基に作成

※ 都市の規模も地理的条件も異なる横浜市と東京市を比較することは難しい面があります。しかし、単純に住家被害棟数、死者不明者数(人口比)を比べると、横浜の被害の深刻さの一端が分かります。
横浜市の場合、とりわけ市街地中心部の被害が甚大でした。県庁、市役所、裁判所、税関などがある関内地域の被害を見ると、震災前戸数5,746のうち全焼戸数5,573と、地域戸数の実に約97%が焼失しています(加賀町警察署の被害報告:『大正大震火災誌』23頁)。

かいます。しかし官邸は焼失しており、知事の家族の所在も確かめられないまま官邸の焼け跡で野宿し、翌朝を迎えることになります。また神奈川県警察部[A]の森岡二朗警察部長は、横浜公園にいったん避難したのですが「行方不明」となります。実は港に停泊中のコレア丸に避難し、船の無線電信を使って大阪府、兵庫県知事や千葉・茨城県警察部長宛てに救援要請と内務大臣への伝達を依頼するなどの活動を行っていました。

こうして震災当日、県庁幹部は協議したり対策を練ったりする拠点を持つことができないまま、知事と内務部長は伊勢山に、警察部の課長たちは横浜公園に、警察部長はコレア丸にと3カ所に分断され、連絡も取れない状態となったのです。

一方、横浜市役所では渡辺勝三郎市長が不在[B]のため、芝辻正晴助役が指揮を執り、横浜公園の野球場スタンドに提灯を掲げ、「市役所仮事務所」と書いた貼紙をして仮市役所とします。芝辻助役は「知事も部長も何うしてゐるか判然としない。他地方からの情報は一つも入らない。如何に善後の所置を為すべきか、全然見当さへつかない」と述べています。[C]

警察も大打撃を受け弱体化します。市内の7つの警察署のうち、建物が残ったのは神奈川署のみです。戸部署と寿署は署長や幹部が署員をまとめて避難し、その日にどうにか仮庁舎を設置できました。しかし加賀町署、伊勢佐木町署、横浜水上署、山手本町署は、もはや彼ら自身が避難者の一群と化していました。市内派出所は85カ所中57カ所が焼失し、警察官も「完全なる服装を為す者は十中二、三に過ぎず、為に警察力を完全に執行するに遺憾尠(すく)なからず」[D]となります。その後、4日になって群馬県からの応援で警察官217名を得て体制を立て直していきますが、震災後初めての署長会

▼A 神奈川県警の前身

▼B 3日午前、平塚から市役所に帰還

▼C 『市震災誌第三冊』横浜市役所1926年 10頁

▼D 「震火災誌」344頁

議が開かれる6日まで、警察は統一的、組織的な行動は取れませんでした。

県警察部は森岡警察部長が「行方不明」のなか、1日夜には横浜公園内に残された警察部の課長たちが上田荘太郎工場課長を警察部長代理として協議し、知事に軍隊派遣の要請を進言することを決めます。横浜の惨状に対応するには、武力と訓練された人員・機材、通信設備を持った軍隊の来援が必要でした。

2日午前3時、県警察部の西坂勝人高等課長と野口明警務課長の二人は公園を出て安河内知事を訪ね、軍隊の派遣と食糧供給を政府・陸軍に要請する了解を得ました。しかし、東京の政府、陸軍との通信連絡手段はなく、徒歩で東京へ向かうことになります。両課長が陸軍省、第一師団、内務省と回って軍隊と食糧についての約束を得て横浜に戻ってきた時には、深夜を過ぎて日付はすでに3日となっていました。

交通、通信手段は破壊されたままでした。桜木町に県庁の仮庁舎（2日、海外渡航検査所）と市役所の仮庁舎（3日、中央職業紹介所）を設置しますが、政府、軍との連絡は取れない状態が続きます。2日から横浜に上陸した海軍陸戦隊も、3日午後まで知事、市長の所在が掴めませんでした。海軍報告書には「官民の連絡杜絶し知事市長等の行衛全く不明」▼A、「目下知事市長等中心人物なき故支離滅裂の状態にあり」▼Bとあります。

県市当局は、戒厳令が9月3日に神奈川県に拡大されたことさえ知りませんでした。それを知るのは翌4日、神奈川警備隊（陸軍）が上陸し、司令官の奥平俊蔵少将が知事・市長と面会協議した時でした。

略奪と武装集団の横行

地震で崩落した東海道本線の馬入川橋梁。茅ヶ崎駅と平塚駅の中間に位置し、当時の橋桁の基礎部分がいまも残る（関東鉄道局「関東地方大震火災写真帳」より）

最初の救援船シカゴ丸が大阪から到着したのは3日夜です。しかし、翌4日の荷揚げは治安の悪化で行えず、港内に碇泊中のパリー丸に横付けして人員と物資の一部を移し、昼には東京・品川沖へ向かっています。また4日には山城丸が神戸から入港しますが、「荷役全く不可能なので、同船を三島丸に横付け」し、食料や飲料水を移しています。▼C 荷役ができるようになったのは5日のことです。

県当局は2日、横浜船渠（ドックのこと）の倉庫を開放し、政府保有米を市民に提供することにします。しかし搬出や配給管理の人員はおらず、人々の取るにまかせたため、「強い者勝ち」の大混乱となりました。市当局も3日、パリー丸に搭載した外国米8000袋を配給しようとします。しかし、「兇器を示して艀船より、且は陸揚したる外米を袋の儘掠奪せんとして暴徒が雲集し来」たため、陸戦隊の護衛を得ながらも、陸揚げできたのはわずか100袋ばかりでした。▼D 市当局は横浜倉庫での米配給に変更しますが、その実施は神奈川警備隊が到着した後の5日からとなりました。飲料水、給水は8日に一部開始、水道が復旧したのは13日以降のことです。市が路上に横たわる遺体の片付けに着手したのは6日でした。

その間、行政機関と警察のマヒに加え、食料をはじめ生活物資も不足する中、市内では混乱と略奪が広がっていきました。税関倉庫や運送店の倉庫、駅などの物流の拠点は大規模な盗難、略奪にあいます。

警察資料『大正大震火災誌』は「横浜税関倉庫の開放」という虚報が広がり、「不良者は勿論、衣食を得るの途なく、困苦窮乏の間に彷徨し居たる罹災民は忽にして雲霞の如く税関構内に殺到し、生活必需品たると貴重品たると機械類たるとを問はず、

▼A 9月2日付萩駆逐艦長・鈴木田幸造の報告、松尾章一監修『関東大震災政府陸海軍関係史料』III巻海軍関係史料125頁、日本経済評論社、1997年

▼B 3日付、五十鈴艦長・石渡武章の報告：同127頁

▼C 『市震災誌第四冊』388頁

▼D 小池徳久・横浜復興録編纂所『横浜復興録』1925年 227頁

手当次第に輸入品を掠奪（りゃくだつ）」▼Aしたと述べています。

横浜税関当局の報告も、2日には凶器を携えた者も含む興奮した群衆が殺到し、とうてい抑止できない状況となったことを伝えています。▼B税関当局は、県警察部に応援を求めようにも警察にも余力はなく、あったとしても「掠奪（りゃくだつ）団の鋭鋒（えいほう）」を防ぐことはできないだろう。結局、5日まで略奪されるがままであった――と記しています。

また、東神奈川駅は港に通じる貨物線の分岐点で、多くの貨車が留置されていましたが、9月2日早朝、最初の略奪者が現れます。このときは駅員によって撃退されますが、やがて数を増し、「手々に兇器（きょうき）（日本刀、竹やり、ナタなど）を携（たずさ）へ、殺気を含」んだ集団によって襲われると制止できなくなります。彼らは事務室まで入ってきて金銭をあさり、金庫をこじ開けようとしました。▼C

2日から3日にかけて同駅では大規模な略奪が続きます。神奈川警察署の近くですが、略奪を防ぐことはできませんでした。神奈川警察署の「神奈川方面倉庫其の他に於ける貨物盗難被害」▼Dを見ると、東神奈川駅では貨車120両から米、豆、味噌といった食料はもちろん、絹、織物、雑貨など約1800トンが奪われています。千若町の横浜倉庫は米、豆や雑貨など123万円分、その他各運送店も米、木材、洋服、木炭、綿花、ごま油、雑貨などが略奪されています。

こうした物流拠点だけではありません。残存家屋に対しても激しい盗難略奪が行われました。西戸部の中島徳四郎は手記「遭難と人心騒擾に関する実見記」▼Eに避難民による略奪について書いています。「貴様等は家がある丈よい。文句を言ふと叩き殺すぞ」と言って、戸障子といわず手当たり次第持って行くという状況でした。中島は、「地

▼A『大正大震火災誌』364頁
▼B『市震災誌第三冊』52~56頁
▼C『市震災誌第三冊』135頁
▼D『震火災誌』183頁
▼E『市震災誌第五冊』590~596頁

震や火災に驚いて居るさへ沢山なのに、其上掠奪に苦められると言ふ有様、何と云ふ不幸の事であるか」、「日本人は果して真実な文化を理解し得る国民であるや」と書いています。▼F

略奪の横行は、震災に遭った他の地域には見られない横浜の特徴です。当初は食料や必要物資を求める被災者たちの必要に迫られた行動でしたが、やがて武装した略奪集団の活動も顕著になっていきました。警察は無力でした。「自警団等と自衛により て僅(わず)かに秩序を維持せんとする実情」だったとあります。▼G しかし自警団には略奪の横行を取り締まる力はありませんでした。

4日、横浜に上陸した神奈川警備隊の司令官、奥平俊蔵少将は、「横浜到着当初の光景」として、壊滅した市街、放置された遺体、武器を持って横行する人びと、公然と行われる略奪、行政・警察の無力と治安崩壊のようすを記しています。▼H

「本日(4日)見る処に依れば、横浜市街の全部は焼失崩潰して廃墟となり過去栄華の跡は痕跡を留めず、死屍到る所に散乱し正金銀行の周囲には累々堆積しあり。屋下の死体は猶(なお)燃えつつありて悪臭鼻を衝き覚えず之を塞がしむ。夜間に至れば各所に青々たる燐火揺曳し鬼哭啾啾たる感あり」★I

「竹槍、棍棒、鉄棒、日本刀等の兇器(きょうき)を携帯し凄惨の状言語に絶す」▼J

「予の上陸当初、焼跡を往復する群集は各自に皆荷物を手にしあり。予は彼等が自己の所有物を手にせるものなりと当時観察せるも、径約二尺位の白き玉を携へたる者甚だ多し。後に聞けば是れ税関倉庫より掠奪せる羊毛の精製品及輸出絹

▼F 『市震災誌第五冊』593頁

▼G 『市震災誌第三冊』53頁

▼H 『不器用な自画像―陸軍中将奥平俊蔵自叙伝』柏書房 1983年239~244頁

▼I 同 239頁

▼J 同 239頁

糸の玉であった」▼A

「最初は当座の食を求むる外他意なかりし災民も、人間の欲には限りなく屈強の者共は遂に荷車を以て莫大な物資を搬出するに至り、如此（かくのごとく）は寧ろ家を失ひたる者に非ずして焼残りたる家屋居住者である。而して最初は食料品のみを掠奪せるも次第にあらゆる品物に及び遂には鉄製の重大な器機類に及ぶ」▼B

「横浜方面の騒擾（そうじょう）は甚大にして1日より3日も亘（わた）り掠奪、争闘、殺人等盛んに行はれたる如く」▼C

「警察官は全く無力となり地方の治安維持に関し何等の威厳を有せず」▼D

「知事、各部長、市長及市の幹部は……善後の方策を講ずるも手足となりて活動する者乏しく如何ともし難く、最初の軍隊の到着する迄は茫然自失するのみ」▼E

朝鮮人流言が発生し、広がっていったのは、こうした騒然とした中でのことでした。

第2節　朝鮮人流言の拡大と虐殺

流言は南部の丘陵地で発生した

横浜の流言・虐殺は1日の夜、南部の丘陵地で始まりました（地図C参照）。そして翌2日、避難民の移動とともに北部へ伝わり、全市に広がったのです。そのことは、警察資料からも伺えます（【表2】流言記録参照）。

警察資料は、「1日午後7時頃、根岸町相沢、山元町の一部に此の風説伝はり、其の

▼A　同　243頁
▼B　同242〜243頁
▼C　同241頁
▼D　同244頁
▼E　同243頁

他は2日午前10時(伊勢佐木町警察署管内)同11時頃(戸部警察署管内)より避難彷徨する罹災民の口より伝へられ、或は東進南行する避難民より或は東京方面より西下する帰郷民に依り伝はり、東海道の主要沿道の住民は2日夕刻より殆ど此の流言を誤信するに至りしもの」▼Fと述べ、各警察署で捕捉した流言の記録を載せています。

もっとも、朝鮮人暴動の流言の発生地は一つではありません。川崎署は1日午後3時頃にはすでに朝鮮人暴動の流言を記録しています。しかし、川崎で流言が事実のように信じられ騒然となったのは、2日になってからのことです。流言によって人々が武器を持つような行動をとったのは、1日夜に横浜市南部丘陵地で生まれた流言によってでした。

南部丘陵地の最初の流言は、1日午後7時頃、「寿警察署管内中村町及根岸町相沢山方面」から根岸町相沢、山元町の一部に伝わりました。「朝鮮人約200名襲来し、放火、強姦、井水に投毒の虞(おそれ)あり」というもので、このため住民は「武器を携帯し、警戒に着手」したとあります。

根岸町相沢、山元町、中村町、相沢山は、すべて市の南部丘陵地に位置しています(地図d参照)。相沢は中村町から根岸町にまたがる地域で、山元町は根岸町相沢に接する大通り沿いの商店街。当時の地名は「根岸町字山元町」となります。中村町は現在の中村町よりはるかに広く、16の字(あざ)がありました。根岸町相沢・山元町に接しているのは平楽、唐沢、打越など、「山手中村町」といわれる地域です。

したがって、先の警察資料が言っているのは、「中村町(山手中村町)、相沢山から根岸町相沢・山元町に最初の流言が伝わった」ということです。流言の生まれた中村町、相

▼F『震火災誌』391頁

【表2】 流言記録

■ 1日目の流言の記録『大正大震火災誌』の「流言蜚語」391~396頁から作成

	日時/場所	どこから	流言内容と動き	どこへ	備考
1	1日午後7時頃 根岸町相沢山元町方面	寿警察署管内中村町及根岸町相沢山方面より伝わる	・鮮人約200名襲来し、放火、強姦、井水に投毒の虞あり ・部民の一部は武器を携帯し、警戒に着手	山手町、根岸町櫻道方面へ	
2	1日午後8時頃 根岸町柏葉方面	中村町方面より伝わる	・鮮人約200名襲来し、放火、強姦、井水投毒の虞あり。青年団員は部民に警戒を伝えた		
3	1日午後8時頃 根岸町鷺山方面	中村町相沢方面より伝わる	・鮮人襲来の流言伝はり、各自警戒に当れり		
4	1日午後8時頃 根岸町立野方面	本牧方面より伝わる	・本牧町大鳥谷戸及箕輪下方面は鮮人の為に放火され、目下延焼しつつあり、又大鳥小学校に鮮人2、300名襲来、鉱山用の爆弾を所持するを以て各自警戒を要す。	根岸町字仲尾台、同矢口台へ	

■ 別項の記載

	日時/場所	どこから	流言内容と動き	どこへ	備考
5	1日 午後8時、9時頃 中村町	誰れ云ふとなく	・朝鮮人の放火、強盗、強姦などの流言		寿警察署 別項 137頁
6	2日 午前1時 横浜公園		・箕輪下方面に鮮人一行が暴行を演じつつ公園方面に進出せむ。園内避難民動揺の形勢あり		県警察部 別項 341頁

【表2】流言記録

■ 2日目の流言の記録

	警察署	日時	どこから	流言内容と動き
1	伊勢佐木町署	2日 午前10時頃	寿署管内中村町より伝わる	・「不逞鮮人襲来し、強盗、強姦、放火、掠奪等を敢行」 ・南太田町、井土ヶ谷町、弘明寺などで武器を持って起つ
2	戸部署	2日 午前11時頃		南太田町2010番地付近で、南部から北進する避難民が伝えた。その後、「本牧の放火」「投毒」「自警団をつくって警戒している」という流言伝わり、南太田、久保山で自警団ができる。
		午後3時頃		浅間町、岡野町方面に自警団ができる
		午後4時頃		「保土ヶ谷の鮮人が襲撃する」という流言
3	山手本町署	2日 午前11時頃	根岸町加曽方面より伝わる	本牧原、矢口方面。漸次各方面へ広がる。「囚人と不逞鮮人等大挙襲来、暴挙」「放火の虞あり」「警戒を要す」
		2日 正午頃	本牧より伝わる	山手町谷戸坂方面に本牧より伝わり、新山下町へ広がる。「鮮人襲来」「井戸に投毒」「注意を要す」
4	神奈川署	2日 午後		「保土ヶ谷方面より東京へ向かって数百の鮮人一団となって襲来」「放火、井戸に投毒、強姦」
5	鶴見署	2日 午前11時	横浜からの避難民より	「横浜では強盗、強姦を敢行」「井戸に毒」「不逞鮮人三百余名が鶴見に向かって襲来する」

沢山を管轄しているのは市内7つの警察署の一つである寿署です。しかも、寿署は中村町の唐沢に仮庁舎を置いていました。ところが『震火災誌』の「流言蜚語」の史料には、なぜか寿署の報告がありません。別項の137頁に午後9時頃より「誰れ云ふとなく」朝鮮人の放火、強盗、強姦などの流言が流れたという報告が見出されますが、曖昧な記録になっています。なぜでしょうか。寿署と流言、虐殺の関係を明らかにすることは重要な課題ですが、それについては次章で検討することにします。

さて、こうして見ると、最初の流言発生地は山手中村町（中村町唐沢・打越・平楽）、相沢山で、午後7時頃に根岸町相沢、山元町へ、8時頃には根岸町柏葉、鷺山へ広がり、翌朝までに広く南部丘陵地から横浜公園、港内船舶へ伝わったと見ることができます。

9月2日、流言は市の北部へ

南部丘陵地では9月1日夜に朝鮮人襲来の流言が広がり、暴行・虐殺が始まっていました。しかし北部の市街地ではまだ朝鮮人流言も迫害も、少なくとも目立った動きにはなっていません。

朝日新聞社の市政記者である河西春海の手記「遭難とその前後」▼Aからは、流言と迫害が南部丘陵から北部へと広がっていったさまが読み取れます。河西は1日夜、根岸町鷺山（南部丘陵地）に避難していました。そこで朝鮮人を追う人々の喚声を聞き、警戒にあたる者から誰何（すいか）されています。そして翌朝、焼野となった市街地を縦断し、北部丘陵にある水道山の自宅へ帰ります。水道山で朝鮮人流言を聞くのは2日午後になってからです。南部丘陵地の鷺山と北部丘陵地の水道山との間には火に包まれた市街地が

寿署の仮庁舎が置かれた唐沢地区の現在。遊行坂は震災当時からあった

▼A『市震災誌第五冊』390〜440頁

ありましたから、流言も、火災が鎮火して人の移動が始まった翌2日に北部に伝わったということになります。

先述した神奈川県警察部の西坂勝人高等課長は、『神奈川縣下の大震火災と警察』[▼B]という記録をまとめています。その中で西坂は、9月2日に知事の命を受けて上京した際の道中の見聞などについて回想を記しています。[▼C]この回想もまた、朝鮮人流言の広がり方を推測する助けになります。

第一に気づくことは、2日早朝に東京へ向かって出発した西坂課長に朝鮮人流言についての認識がなかったことです。面会した陸軍省の畑英太郎軍務局長と石光真臣第一師団長に対して、横浜の惨状を伝え、被災民が食べるものもないまま放置されていること、警察官もまた多数被災しており治安維持が困難なことを切々と訴えていますが、朝鮮人流言や虐殺については述べていません。

西坂課長らに流言・虐殺の認識がなかったのは、県警察部がその時点では横浜南部丘陵地の実情を把握していなかったということを意味します。また、上京ルートの東海道沿道ではまだ流言が問題となっていなかったこともあります。

西坂課長らが伊勢山の知事官邸を東京に向けて出発したのは、2日午前5時です。その数時間後には、伊勢山一帯に朝鮮人流言が伝わり、騒然となっていきます。

『横浜地方裁判所震災略記』[▼D]36〜38頁に収録されている、末永八重（同地裁所長末永晃庫の妻）の手記「現実の夢」によれば、掃部山に避難した彼女は、翌2日の朝、伊勢町の官舎の焼け跡に戻りますが、その後、知事官邸付近で流言に接し、男たちが赤布をつけ武器を手にしているのを目撃しています。

▼B　警友社、1926年
▼C　同201〜207頁
▼D　横浜地方裁判所、1935年

「金山検事正の御家族が知事官舎跡に居られると聞き其處に参りました。其の時俄かに鮮人が押寄せ来るといふ噂があわただしく宣伝せられ、男子は一様に赤き布にて内地人の目印を附け手に手に獲物をたづさへ右方左往へ跋け歩いて居ます。私共は生き心地もなく如何せんとためらひ居りました▼A」

西坂課長らは東海道を進み、途中、神奈川署と鶴見署に立ち寄っていますが、そこでも流言は問題になっていません。鶴見署では「この一帯は比較的災害の度の軽きを知り、応援巡査派遣の交渉を▼B」しています。

鶴見町の医師・渡邊歌郎の回想記『感要漫録』を見ると、1日はもっぱら被災の様子が描かれています。彼の病院が面している東海道を、多くの避難民が行き来しており、手桶を並べて水を支給したことなどが書かれています。しかし流言のことは出てきません。

流言が出てくるのは2日からです。

「日本に併合された朝鮮人が反乱を起し、保土ヶ谷に集合して山の後ろを子安及び東京の同士と合併、夫れと同時に各県方面よりも皆集合すべく連絡しあり。夫等鮮人団は往く途々掠奪を恣ままにし、少しでも抵抗せば忽ち虐殺せられ、婦女子は悉く之を辱むる等、実に残虐無謀にして既に虐殺せられ又辱しめられし者四五百名にも達せし等、飛報頻りに来り、夫れが次第に険悪となって鮮人が井戸毎に毒薬を投入し歩くに依り、井戸は厳重に蓋をすべしとの流言が頻りと飛び」とあります。

東京に着いた西坂課長等が陸軍省、第一師団、内相官邸（内務省臨時事務所）と回り、

▼A 『横浜地方裁判所震災略記』37頁
▼B 西坂の回想202頁
▼C 西坂の回想205頁

首相官邸で水野内相とも面会して再び内相官邸に戻ると、すでに夕刻になっていました。その間に東京の状況は一変していました。「予等の入京頃には、敢て特種の流言もなかったが、夜に入ってから流言蜚語が頗る急速に伝へられたものと見え、到る處(ところ)殺気が充満して居る」▼C。東京に到着した昼の時点では流言など耳にしなかったのに、夕刻には周辺に殺気が満ちているというのです。

2日午後8時、内相官邸から自動車で大森署に向かいますが、自警団にたびたび止められます。鶴見署から随行してきた佐藤巡査部長を車の踏み台に立たせ、警察提灯を掲げているのですが、それでもなお、自警団の包囲を受け、停車させられるのです。西坂課長は、「東京市民の糧食を取りに行くのだ」と叫んで突破しました。大森署からは徒歩で進みますが、「此の地一帯は、鮮人騒ぎは殆んど絶頂に達し、警察官の懇(こん)諭(ゆ)に反抗しつつ暴戻(ぼうれい)の態度に出て居ったのは、詢(まこと)に苦が苦がしきことであった」▼Dと書いています。

真夜中に通過した川崎、鶴見の状況も、往路とはすでに一変していました。「到る處(ところ)に屯(たむろ)して警戒」しており、銃声、叫び声、半鐘やラッパの音が聞こえます。「暗澹(あんたん)たる京浜の夜は時々刻々に更けて凄惨の気が益々濃厚を加ふるのみである」▼Eとあります。

川崎署、鶴見署では、朝鮮人が保護収容されているのを見ています。川崎署の太田署長からは、住民が持参した毒水なるものを飲んで見せた話を聞きました。野口課長が太田署長に「此の上とも鮮人の保護に努めよ」▼Fと注意を与え、西坂課長は軍の到来や食糧の運搬に備えて道路上の倒壊家屋の片付けや橋梁修理を依頼しています。

「(鶴見)警察署を訪へば、署長は新国道の中央に卓子椅子を揃へて事務を執って居たが、

▼D 同205頁
▼E 同206頁
▼F 同206頁

警察署は真暗である。理由を聞けば鮮人多数を収容したが、住民の軽挙を慮り燈火を滅して置いたのだと云ふことであった。而して道路上の警察仮事務所附近には多数の鮮人が保護されて寝て居った」▼A とあります。

　横浜に入り、伊勢山の知事に報告したのが3日の午前3時。桜木町の仮県庁で知事、部課長の対策会議が開かれたのが午前7時です。午前11時には最初の陸軍部隊が新山下橋から上陸します。正木雪儀少佐率いる第一師団第一連隊第七中隊の100名余です。しかし、この小部隊では事態鎮静にはとても及びません。県当局は軍隊増派のために荒警部を上京させます。西坂の震災警備日誌▼B には「流言蜚語は愈々盛に流布せられ物情騒然、不祥事発生するも警察力之に伴はず、更に軍隊の増派を申請すべく荒警部上京」とあります。「不祥事」とは警察では抑えることができない民衆の暴行・虐殺を指しています。3日になってようやく、それが大きな問題として政府に伝えられたのです。

第3節　民衆の動き

武器を手に入れた人びと

　南部丘陵地で始まった「朝鮮人暴動」の流言は、「朝鮮人が襲ってくる、武器を手に取れ、殺してもかまわない」という人びとを突き動かす強力なものになり、全市に拡大します。流言を否定し、虐殺を止める動きはどこにもありませんでした。人びとは躊躇なく武器を手にしています。

▼A　西坂の回想　206頁

▼B『神奈川県下の大震火災と警察』189～190頁

▼C『市震災誌第五冊』423頁

河西春海が2日朝、避難先から市街地の北にある水道山の自宅に戻ったことは先に書いたとおりです。その時、水道山に流言はまだ伝わっていません。下宿先の同僚・高岡の家はペシャンコになっており、二人で倒壊した屋根を壊して食糧品を探し出します。

彼らが流言を聞くのは午後になってからでした。「不思議なものであるとさへ誰も感ずるものはな」▼Cく、二人は再び屋根に穴を開けて日本刀と仕込杖（杖の中に刀を仕込んだもの）を掘り出し、刀を抜いて家の前に立ちます。誰に言われることもなく、流言を聞くとすぐに武器を手にしているのです。そこへ市役所の山田内記課長と森田主事が来ます。二人は護身用にと、壊れた家の窓から鉄の格子をはずしていきます。

河西は、3日は中村町へ、4日は本牧へ出かけます。このとき彼は、刀を手にしています。朝鮮人から身を守る刀だったはずですが、実際にはその刀で、製氷会社跡から入手した氷をめぐって、鉄棒を持った男とにらみ合うことになります。

「俺は威嚇するためにカチリと音をさせて刀を抜いた。抜いてからしまったと思ったが、抜いたからには仕方がない。その男が刀を見て退かないならば、俺は殺さねばならない。殺さないまでも傷つけなければならないのだ。勢に引づられるより外に仕方がないのだ。男が遁（に）げて呉れれば好い。俺も助かる。處（ところ）がその瞬間、それは実に都合よく行った。男は刀を見ると一散に遁げて行ったからだ」▼D

自衛の武器は、日常の争いでの威嚇や実力行使の武器へと変わるのです。河西の経験をさらに見てみましょう。2日夕刻、水道山でのことです。

「一人の男が『男のある家では一人づつ出て下さァい…』と怒鳴ってゐる。やがてそ

▼D 『市震災誌第五冊』437頁

の傍の空地へは、大勢の男が手に手に何かの武器を持って集まって行った。それは軍隊ででもあるやうに何箇小隊かに分(わか)たれた。そして此の丘へ登る道筋の要所々々を堅めることとなった。或るものは猟銃を携へていた。或るものは日本刀を背負った。又或るものは金剛杖(こんごうづえ)の先に斧を縛りつけた。竹槍、鳶口(とびくち)、棒の先へ短刀を縛ったもの、鉄棒、焼跡から拾った焼けた日本刀、かくの如く雑多な武器が、裸体に近い避難者の手に握られて、身を護らうとする一心と、闘争を予期する恐怖とに極端の緊張を以て道を守り、その辺を巡回してゐるのは物凄い光景である」▼A

自警団が結成され、多種多様な武器が持ち出されています。当時の警察官が所持していたのは、サーベルといわれる剣のみでした。一方、民衆が手にした武器は、警察官と変わらぬもの、いや、それ以上のものでした。1日夜、南部丘陵地ではすでに銃やピストルが使用されています。2日からは全市にわたって銃が持ち出されたのです。それは、河西の体験記にも出てきます。

「水道山に喚声があった。ポンポン…ポンポン…。ハッと思ふとそれは銃声なのだ。何處(どこ)で放って何の方向へ向ってゐるか分らないので、銃丸は何處へ飛んで来るか解らないのだ。十発、二十発とそれはだんだん殖(ふ)えて行く。この銃声は更に人々の心を引締めた」▼B

「一人の男は猟銃を持ってゐた。そして言った。『向ふの家の二階へ遁込(にげこ)んだらしいので二発うち込んで見たが、居ないやうだった』かうして標的なき銃丸のために、

▼A 同書 424～425頁

▼B 同書 427頁

又は『山』と聞かれて返事がなかった為めに、又は格構(かっこう)が鮮人に似てゐるといふ丈けのことで、数多くの同胞が倒れたことであらう」▼C

当時の市内中学校(旧制)には訓練用の銃器が保管されていました。実弾は置かれていませんでしたが、銃剣としてなら使用することができます。神奈川警備隊の資料によれば、横浜商業学校の920挺は、「朝鮮人襲来の噂ありしため、群集格納庫に闖入し全部を持去」られています。本牧中学校の三八式歩兵銃100挺は青年団、在郷軍人会へ貸与されました。県立商工実習学校、横浜第一中学校、横浜第二中学校、浅野中学校の銃器も、「紛失」あるいは「貸与」されています。▼D

こうして、大震災後わずか2、3日で、学校に保管されていた1000挺をはるかに超える銃器(銃剣)が街なかに持ち出されていたのです。横浜地裁の福鎌検事正の妻・福鎌恒子は、2日横浜駅付近で銃剣を使った虐殺を目撃しています。

「黒山の如き群集あり、何ときけば×××(不逞鮮人)を銃剣にて刺殺しつつあるなり。頭部と言わず滅多切にして溝中(こうちゅう)になげこむ惨虐(さんぎゃく)目もあてられず」▼E

虐殺が公然と行われる

中島徳四郎は「遭難と人心騒擾に関す実見記」▼Fに横浜第一中学校裏門で繰り広げられた虐殺について書き残しています。一刀を浴びせたのは検問の在郷軍人です。重傷を負わされた男は、誰何に対して要領よく答えられなかっただけです。武器一つ持

▼C 同書427頁
▼D 『市震災誌第四冊』66頁、112〜115頁
▼E 「横浜地方裁判所震災略記」120頁
▼F 『市震災誌第五冊』590〜596頁

っていません。日本人だった可能性もあります。そもそも「不逞者」である証拠は何もありません。

民衆も平然と暴行、虐殺を実行します。倒れている被害者に通行人が日本刀で斬り付け、鉄棒で顔を打ち付けます。そして、雨の中を這っている瀕死の被害者を打ち殺すのです。凄惨な虐殺が公然と何のためらいもなく行われたのです。

清水清之の手記『あの日あの時――関東大震災の想い出』[A]には、2日午後、南部丘陵地の平楽から戸部に向かう途上、市街地で「炭の様に真黒に焦げた裸の死体」とともに、「殺された許りらしい目をむいた屈強な青年等」の遺体が、あちこちにごろごろしていた、とあります。

戸部で被災した山崎紫紅は、遭難記「四人の骨を拾ふ」[B]で、「朝鮮人が来襲すると云って、代り代り鉄棒や竹槍を持って寝ずの番をする。怪しいものを見ると、云分けも聞かずに撲殺する。…私は思ふ。地震、火事の恐怖は非常なものである。しかも、その災害に原由して生ずる人間の心の奥を発揮する。その残忍さは実に実に自然の破壊よりも一層の恐怖である」[C]と書いています。

戸部署の巡査である佐藤伝志は、朝鮮人への暴力が各所で行われ、それは警察官の制止もきかぬものになっていたと述べています。「町の辻で朝鮮人を取り囲み袋だたきしている光景は幾つもあった。いずれも暴徒とは思えない一般朝鮮人市民であり、人がきをわけて入ってなだめようとするのだが、そのじぶんには警察官といえどもヘタに口出しすると命が危ないというありさまだった。私自身、危うく竹ヤリで突かれトビ口で頭を割られるところだった」[D]

▼A　神奈川県歴史教育者協議会横浜支部高校部会編刊、1974年
▼B　『市震災誌第五冊』373〜382頁
▼C　同書　382頁

こうして「朝鮮人と見れば暴行・殺傷」という事態となり、自警団の横暴や誤認殺人は至るところでエスカレートしていきます。横浜地裁の長岡熊雄判事は、検問で怪しまれた体験から自警団について次のように書いています。

「思慮なき輩で兇器を揮て人を威嚇するのを面白がって居る厄介な痴漢である。加之之を統率する者がないので一人が騒げば他は之に雷同する有様で通行人は實に危険至極である」▼E

清水清之は3日、霞橋（西区霞ヶ丘）のところで石川小学校の同僚教員が群衆の真中で打ちすえられているのを目撃します。「すっかり鮮人と間違えられて居る様子。脇のビンは喉を潤す為の飲用水。我を忘れて飛び込み、先づ自分の身分証明を連中に見せ、幸にも群衆の中にも知った顔が二、三あったので訳を話して同君を救出したが、こんな事は一例にすぎず、到る処で行われた」▼Fと書いています。

憲政会神奈川県支部書記の吉野菊四郎は9月4日正午頃、堀内町で「殴打殺害」されます。後に遺族が訴えて実行者は逮捕されました。司法省の「震災後に於ける刑事事犯及之に関聯する事項調査書」にも記載されている事件です。吉野は不逞の者と怪しまれて自警団に引き渡され、友人の岩本常信が身分を証明しても聞き入れられず、殺害されたとあります。▼G

日本人が朝鮮人と誤認されて暴行・虐殺された例をいくつか取り上げてきましたが、言うまでもなく、朝鮮人の虐殺自体が「誤認」による暴行・虐殺でした。実際には「不

▼D 「影を追う」『潮』1971年9月号
▼E 「横浜地方裁判所震災略記」52頁
▼F 『あの日、あの時』
▼G 東京日日新聞9月22日付

かつての横浜市中心街を平楽の丘から眺める。眼下に見える一帯がほぼすべて焼失した

逞鮮人」など存在しなかったのに、武器を持った民衆の暴行・虐殺が野放しにされていたのですから。

9月4日に横浜に入った陸軍の神奈川警備隊は、朝鮮人流言についての調査結果をまとめています。▼A 井戸に毒を入れたという流言について、次のような調査報告があります。

> 「9月3日夜、中村町植木会社構内避難民、附近井戸毎に覗き居たる一鮮人を発見し、毒物を投入せるものと信じたる附近住民は激昂の餘(あま)り殴打・殺害せる事実あるも、毒物を投入したるや否や判然たらず。其後該井水を使用しつつあるも、何等異状なきに見るも、毒物の投入はあらずして、渇を覚え水を飲まんとして井戸を覗けるものと思惟せらる」▼B
>
> 「9月5、6日頃午前11時前後、年齢28～29歳の鮮人服を着用せる商人体の鮮人男1名、横浜市山の手、根岸町字猿田に於て、路傍の井戸の蓋を開き、井戸を窺ひ居りたるを、附近の者の発見する所となり、時節柄不逞の徒が井戸に毒物を投入せるものとして、附近住民集合して鮮人を逮捕し、身体検査を行ひたるも、何等毒物を所持しあらず、又井水を分析試験せるも、毒物の混入せる状況なく、全く誤解と思料せらる。市民は之を山手署警官の手に渡せり」▼C

井戸に毒を入れた――それはことごとく事実無根でした。しかし、井戸に毒を入れたという流言は事実として広まり、この報告の朝鮮人は中村町では殴打・殺害されて

▼A 「鮮人の暴行に関する実跡調査報告」1923年9月14日、『市震災誌第四冊』34～36頁

▼B 同書36頁

▼C 同書36頁

います。そして、殺害した者がどうなったのかは、ここには書かれていません。

「朝鮮人殺害差し支えなし」

虐殺の急速な拡大を推し進めたものは何だったのでしょう。一つは、流言は伝えられるうちに強力なものに成長していったことがあります。「いつ、どこで、どんなことがあったのか」という具体的な内容を持ったり、すでに知っている確実な情報と関連したり、信頼すべき人から伝えられた「筋の通ったもの」になっていったのです。流言を否定し打ち消す動きはほとんどありませんでした。

次に集団化ということがあります。流言が集団的に信じられている時、人は群衆の一員となって判断を停止し、集団の流れのままに行動することになります。

長岡熊雄判事は9月3日、桜木町駅付近で「警察部長から鮮人と見れば殺害しても差支ないといふ通達が出て居る」と説明する男に会っています。

「私は左様な暴令は想像することも出来ないといへば、否實際であるから仕方がないとて、鮮人の暴動せること無警察の状態なること各人自警の必要なることを喋々した。其半分以上は傳聞の架空事に相違ないが如何にも誠しやかに話すので聞く人は皆眞實の事のやうに思って居る」▼D

長岡判事はこの話を信じてはいません。しかし、これを打ち消し、否定することもできず、また「鮮人と誤認せらるる虞があるから」赤布を腕に巻きなさいと言われれば、

▼D 「横浜地方裁判所震災略記」51頁

それに従っています。
同じく判事である石坂修一は、3日に横浜へ来ました。藤棚の従弟夫婦の消息を訪ねるためです。夫婦とも無事でしたが、従弟は朝鮮人の暴状を詳しく語り、危険だからと白布を石坂氏の腕に巻きつけてくれます。それぱかりではありません。「税関より物を持ち来るは自由勝手といふことになりたる故、写真機器を一つ持ちだしては如何と」「鮮人と見れば直に殺してよしといふ布告が出たり」と言うのです。▼A
略奪も殺人も許されている。冷静に考えればあるはずのない話です。しかし、石坂判事は否定も肯定も疑問もなく判断停止のまま聞いていたと言います。

「余は当然之を否定する気持ちなく又肯定する気持もなく、之を怪む心もなく又之を賛同する気も起らず、何心なく之を聞き居りたり」「頭脳は何故か全く事に處する判断力を失ひ居りたるに非ざるかを疑はしむ」▼B

もっともらしい流言内容、判断停止の中で、特に重要なのは、「朝鮮人殺害差し支えなし」という言葉が広まり、多くの人が信じて行動したことです。警察が、朝鮮人は殺しても構わないと言ったというのです。虐殺を免罪し、後押しする言葉です。
3日、河西春海は中村町からの帰り、動かなくなった市電で雨宿りします。居合わせた髭の男が、中村町での凄惨な朝鮮人虐殺の様子を詳細に、自慢げに語るのを耳にします。男は河西にウイスキーを勧めながらこう言います。

▼A 『横浜地方裁判所震災略記』84頁
▼B 同書 84頁

【表3】市内7警察署の被災状況と仮庁舎の所在地

市内7警察署のうち6つの警察署は庁舎倒潰、焼失し、避難先に仮庁舎を設置しました。

「横浜市震災誌第三冊」(横浜市役所1926年)143-154頁
「大正大震火災誌」(神奈川県警察部1926年)42-43、71-73、98-99、136-139、161-163、177-178頁

地域	警察署	所在地	◉被害状況	◉仮庁舎
中心部	**加賀町署**	山下町 203 番地	庁舎は崩壊し、すぐに焼失。 在署員:森署長以下 33 名のうち、巡査部長1名、巡査5名、使丁1名の計7名が圧死。	1日午後0時40分、横浜公園(園内西北の一隅)へ。「5日までは公園内の樹下に焼トタンを立掛けて之に充ててゐた」 5日、三井物産会社のバラックへ移動
中心部	**伊勢佐木町署**	吉田橋タモト	庁舎は崩壊し、その後焼失。 在署員:柴署長以下34名のうち、署員1名、使丁1名が圧死。 在署員は吉田橋下の川に入り火をやり過ごす。	2日午前まで、庁舎付近に留まる。 2日午後6時、久保山派出所を仮庁舎とする。 当番非番68名が出揃う。 7日、仮庁舎を太田小学校へ移す。
中心部	**横浜水上署**	大桟橋	半壊後に焼失。焼失した庁舎跡を根拠地に活動。	
南部	**寿署**	扇町4丁目	庁舎は鉄筋コンクリート造りで倒潰しなかったが、大破、類焼した。署員約30名は全員無事。長谷川署長は郷里山梨県へ賜暇旅行中。出志久保警部が署長代理。	午後0時半、警察部長の命で巡査 20 名を横浜公園へ派遣し、「残る少数の署員及派出所巡査を指揮して」唐沢へ。 1日3時、唐沢派出所と大谷方を仮庁舎 3日、横浜植木会社へ移動 (市震災誌は4日)
南部	**山手本町署**	山手町60A	庁舎倒潰。良田署長以下 27 名のうち、死者3名、傷者多数。重傷者の使丁1名は後死亡。 火が迫り、内田警部補の遺体、下敷となった安達巡査部長、中村巡査を救ひ出すことができないまま避難した。 1日、ドイツ病院跡地に一時避難。火に追われ山手公園で一夜。	2日午後3時頃、本牧町大澤谷戸の署員宅
北部	**戸部署**	西戸部町 330	半壊。死者なし。焼失まで時間の余裕があったので、署員をまとめ避難。	1日夕刻、藤棚派出所を仮庁舎。 2日夕刻、横浜第一中学校に移動。
北部	**神奈川署**	神奈川本町	小破。市内警察署で唯一庁舎が残存し、活動を継続できた。	

【表4】市部の警察署別死者・不明者表 横浜市罹災人口実数表

地域	市内7署管内別【地域】	震災前人口 A	死者 B	行方不明 C	死者・不明合計 B+C=D	死者不明者の割合 D/A（%）	
市街地	加賀町署【関内】	26,621	7,060	706	7,766	29.2	**20.8%** 4.8人に1人
	伊勢佐木町署【関外北部】	74,655	12,153	2,100	14,253	19.1	
	横浜水上署【港、船舶】	6,240	309	—	309	5.0	
南部	寿署【関外南部】	114,504	2,072	—	2,072	1.8	**1.6%** 62.5人に1人
	山手本町署【山手、根岸】	56,887	631	—	631	1.1	
北部	戸部署【戸部、浅間町】	105,125	1,007	301	1,308	1.2	**1.0%** 100人に1人
	神奈川署【神奈川、子安】	54,722	207	76	283	0.5	
全市		438,755	23,440	3,183	26,623	6.1	**6.1%** 16.7人に1人

「横浜復興録」155頁より作成

※死者・不明者の割合は、「市街地中心部20.8%、南部1.6%、北部1.0%」です。つまり、市街地中心部は「4.8人に1人が死者不明者」、特に加賀町署管内（関内地域）は「3.4人に1人」という惨状を呈しています。市内3地域を比較すれば、北部の被害が「軽い」ことが分かります。

「旦那、朝鮮人は何うですい。俺ァ今日までに六人やりました」
「何てつても身が護れねえ、天下晴れての人殺しだから、豪気なものでサァ」▼A

男が本当に朝鮮人を殺したのかどうかは分かりません。しかし、朝鮮人を殺すという重大犯罪が「許されている」ばかりではなく、誇るべき自慢話にもなっていたのでした。

第4節　警察の動き――警察は流言・虐殺に対してどう行動したのか

流言の伝播と初期対応の誤り

流言が拡大した9月2日、横浜の大半の警察署は甚大な被害のただ中にあり、機能していません。まがりなりに活動できたのは、北部の戸部署と神奈川署でした。戸部署の管轄地域は、市街地北の丘陵地▼Bと桜木町駅から横浜駅にかけての海岸地域、帷子(かたびら)川河口の埋立地と東海道沿道で、丘陵地と東海道沿道は火災が及んでいません。神奈川署の管轄地域は戸部署のさらに北の、東海道に沿った神奈川町、青木町、子安町▼Cです。神奈川町と青木町の南部、子安町の一部が焼失しましたが、大部分は残存しています。

両警察署には共通点が3つあります。一つは、市街地の中心部や南部に比べると震火災による被害が軽かったことです。二つめに、警察官の署への結集が早く、警察署がまがりなりに機能していたことです。戸部署の建物は1日の午後4時半に焼失しますが、倒壊は免れ、重要書類を搬出した上で市電通りの藤棚派出所まで署員一同で避

▼A　『市震災誌第五冊』431頁
▼B　水道山、久保山
▼C　浅間町、保土ヶ谷町

難し、そこを仮庁舎とすることができました。また神奈川署は市内で唯一焼けなかった警察署です。三つめは、朝鮮人、中国人労働者が比較的多い地域だったということです。神奈川の臨海部から帷子川河口の埋立地、保土ヶ谷にかけては工業地帯が形成され、震災前から朝鮮人、中国人労働者が急増していました。保土ヶ谷では鉄道工事やセメント採掘が行われており、その現場にも朝鮮人労働者がいました。

戸部署の遠藤至道署長は、警察資料『震火災誌』に比較的詳しい報告を載せていますし、後に自ら出版した回想録『補天石』[A]もあります。これらの資料をもとに、戸部署の動きを中心に見ていきます。

戸部署が初めて流言を確認した時間は記録によってまちまちですが、できごとの順や流れは一致しています。最初に流言を聞いたのは2日午前中で、県警察部の上田課長、草柳課長が食糧徴発のために来署した時です。保土ヶ谷方面からの食糧徴発の段取りが主要な用件だったこともあってか、遠藤署長は「鮮人に関する風評があると聞いたが別に気に留めなかった」[B]と書いています。戸部署周辺にはまだ流言がなく、南部丘陵地の朝鮮人への虐殺の状況も伝わっておらず、流言への問題意識は薄かったようです。

正午頃になると、久保山方面から「不逞鮮人の一団が襲撃してくる」という流言が続々と伝わります。「山手方面で強盗強姦放火、井戸に投毒した朝鮮人の一団が久保山から保土ヶ谷へ向けて移動」「鮮人大暴挙に出でて避難民を襲撃する」「浅間町、久保町、保土ヶ谷町果ては県立第一中学校校庭に迫るとの警報まで頻々と伝」わりました。流言の内容が具体的となった時、戸部署は初めて幹部が協議し、私服の偵察隊を出すことにします。[C]

▼A 水月道場、1924年
▼B 『補天石』15頁
▼C 『補天石』15頁、217頁

戸部署が本格的に動き出すのは森岡警察部長の巡視を受けた2日午後1時以降です。コレア丸に避難していた森岡警察部長は、2日朝に下船し、県警察部の体制を整えつつありました。「そんな噂があるが果して事実か明瞭でない。勿論、相当の準備はして置くがよからう」[D]との森岡部長の指示で、剣道の有段者で構成した制服巡査隊を組織し、「相当偵察の上、事実不穏の行動あらば逮捕することとして、久保町方面へ」[E]出動させます。戻って来た巡査隊は、暴行を働く朝鮮人はいなかった、刀剣などを持った自警団が所々にいたので、軽挙妄動を戒めたと報告するとともに、「保土ヶ谷駅附近に於て鮮人十名の進退の窮し居たるを発見し、之れを仮警察署事務所に同行保護」しています。[F]

以上の一連の経過を見ると、勢いを増していた流言をくい止めることができなかった警察の初動の誤りに気づきます。

第一に、「暴行鮮人を見ず」「鮮人の影は之を認めざる」として、流言が事実ではないことを確認しながら、流言否定の強いメッセージを民衆に伝えることはなされていません。流言は打ち消されないままになります。

第二に、自警団の武装と警備を容認し肯定しています。軽挙妄動を戒めてはいますが、武器携帯を取り締まったわけではありません。その結果、民衆の武器携帯はとめどなく広がり、虐殺は拡大することになります。

第三に、朝鮮人10人を保護する一方で、彼らを迫害した者たちへの取り締まりを行っていません。それなしでは、警察が朝鮮人を連れて行くさまを、人びとは怪しい朝鮮人を連行していったと見るでしょう。

巡査隊は、「不逞鮮人」流言の調査をし、「不穏の行動あらば逮捕する」ことを命じ

▼D　同書15頁
▼E　同書15頁
▼F　『震火災誌』591頁

られていました。しかし流言が虚報であったことを確認してもなお、「不逞鮮人」への警戒を優先したのです。

その後の戸部署の対応は、三つに分けることができます。

一つは警察官の出動警備です。

流言の知らせのたびに警察官を出動させ、「不逞鮮人」の発見と逮捕を目指します。しかし、出動した警察官が流言を信じる民衆の動きに同調したり、警察官が「不逞鮮人」を追っている姿と思われ、存在しない「不逞鮮人」の実在を民衆に確信させたりといった面もありました。

もう一つは、工場や労働現場での「監守」[A]指示です。

当時の朝鮮人労働者は、リーダーに率いられた数十人の集団で、工事や工場の宿舎や周辺に住んでいました。「監守」とは、これらの朝鮮人労働者を、各工場や現場の使用者に隔離・監督させるということです。

これは大きな工場や工事現場のあった保土ヶ谷町で主に行われました。当時の保土ヶ谷町は戸部署の管内でしたが、横浜市内ではなく、警部補巡査派出所（廣澤幸太郎警部補）が6カ所の派出所を率いて半ば独立して警備に当たっていました。また、ここには「約二百余名」[B]の朝鮮人が鉄道工事、採掘場、富士瓦斯紡績工場などにおり、比較的大きな集団で居住していました。

廣澤警部補は2日、朝鮮人労働者の多い労働現場へ出向き、平穏になるまでの監守（監督・管理・保護）を使用者や現場担当者に依頼しています。また、朝鮮人労働者に対しては、日本語に通じた者に通訳させて、「外は危険であり、外出しないこと」を直接話してい

▼A 「監守」は、遠藤署長が使っている言葉です。『補天石』220頁

▼B 『震火災誌』394頁

▼C 『補天石』220頁

ます。▼C

しかし、「監守」されている朝鮮人を多数の民衆が襲撃する事態も起きています。保土ヶ谷町帷子では、富士瓦斯紡績の朝鮮人、また峯小学校前の大工小屋に避難した朝鮮人は取り囲まれています。このとき、山下派出所の足立喜代治巡査が「身を投じて阻止」し、民衆を説得し解散させたといいます。

三つめが、朝鮮人・中国人の警察署内への保護収容です。当初、「不逞鮮人」を見つけ、逮捕しようと出動した警察ですが、民衆による迫害・虐殺が激しくなってくるなかで、収容保護に転じます。戸部署は朝鮮人150〜160名、中国人数十名を保護し、神奈川署は朝鮮人257名、中国人235名を保護しました。

たとえば久保町派出所の渡邊寅作巡査は、民衆に追われて大工小屋に逃げ込んだ朝鮮人18名を保護し、署詰の井上巡査外1名の協力を得て戸部署の仮庁舎まで連れて来ました。▼D 神奈川署の元木友吉巡査、公文章巡査は、2日に流言、迫害が始まると、神奈川コークス会社内と子安町百番地在住の朴在甲ほか34名の朝鮮人、子安町公設市場内と太田町千番地に居住の林連方ほか55名の中国人、その他管内各所に散在する朝鮮人・中国人労働者を神奈川署に誘導保護しています。▼E 両巡査は高等視察係であることから、朝鮮人・中国人労働者の集住地を震災前から把握していたと思われます。

土建、土木の親方たちが雇っている朝鮮人労働者の保護を警察に求めることもありました。浅間（せんげん）町の香取三司は3日、朝鮮人24名の保護を浅間町派出所の石川良実巡査に願い出ます。石川巡査は青年会の森澤寅蔵会長と協議し、青年会の護衛を得て戸部署の仮庁舎へ移送しています。

▼D『補天石』222頁
▼E『震災功績調書』

武装した民衆が連行してきた朝鮮人もいます。朝鮮人の多くは、連行中に激しい暴行を受けていました。「鮮人と見ると仇敵御座(きゅうてきござ)んなれと云はんばかり理も非もなく強制的に一鮮人を数十人にて包囲同行」「鉄拳飛び棍棒降り為めに警察官にしてそば杖を喰ふもの一再ならず」とあります。▼A

戸部署では収容場所が問題になりました。仮庁舎は藤棚派出所に置かれましたから、とても収容できません。派出所裏の消防器具置場に収容しますが、「不逞鮮人」の検挙と思い込んだ民衆が押しかけ騒然となりました。近くの県立横浜第一中学校の校舎借用の交渉を行い、了承を得ます。2日午後5時、朝鮮人を同校に移送し、同時に仮庁舎も校内へ移動しました。

しかし校庭には数千人の避難民がおり、時々喚声を上げ、銃声さえ聞こえる状況です。収容された朝鮮人たちは恐怖と怒りで騒然となり、脱出しようとする者もいました。収容当夜は水、食糧の用意もなく、混乱の一夜となります。朝鮮人収容という想定外の事態に、収容場所を確保し警備するのに精一杯で、何の準備もできていなかったことが分かります。翌3日、水、食糧を支給し、日本語の通じる者に保護する理由などを通訳させたところ、「彼等は初めて感謝の意を表した」とあります。▼B

収容した朝鮮人、中国人には多くの負傷者がおり、久保山の横浜市救護所で治療しています。『市震災誌第三冊』▼Cには「血だらけになった鮮人50名が、警察署員に連れられて同所に救護を求めた。中には5名の傷ついた哀れな朝鮮婦人も交ってゐた。全くの誤解から兇刃に傷つけられた重傷者等は、所員の同情によって手当されて、恢復することが出来たのである」とあります。戸部署に収容された朝鮮人・中国人200名

▼A 『補天石』217頁
▼B 『補天石』219頁
▼C 同書 520頁

弱のうち50名もが激しい暴行を受け傷ついていたことが分かります。

収容保護された朝鮮人は8日以降、横浜港に停泊中の華山丸へ移送されます。華山丸は神戸から救援物資を運んで来た貨物船です。この船に横浜市内各署、鶴見署、川崎署に保護中の朝鮮人を収容しました。騒擾や不安を除くための朝鮮人隔離で、海軍と横浜水上署がその警戒に当たりました。収容数は9月19日には723名となりますが、9月末からは元の労働現場への復帰など下船が始まります。また横須賀海軍工廠への移送、桜島丸による朝鮮への移送もあり、残留者は10月3日には8名となります。残留者8名は本人の希望によって華山丸で神戸まで無賃輸送されています。

保護中の中国人は「(9月)12日、神戸在留同国人救援団に」引き渡されています。[D]

流言・虐殺を止められなかった警察——欠けていたこと、誤った行動

流言が集団に広がる中、それを止めるのは容易ではありません。警察に欠けていたのは流言に対する冷静な対処でした。情報の戦いですから、流言情報を集め、真偽を吟味し、確かな情報を力強く伝えることでしか対抗できません。弱体化した警察であっても、流言の真偽を明らかにして人々に伝えることが求められていました。

戸部署は2日、丸西芳郎(巡査部長・刑事)を「鮮人に対する流言蜚語の根拠」の調査担当に就けます。[E]流言の担当者を置いたのです。また2日夜の「朝鮮人発砲事件」[F]に対しては、遠藤署長と大澤警部が現地調査を行い、発砲者が朝鮮人ではないことを確かめ、事件の大要を警察部長へ報告しています。これに対して翌朝、県警察部の山口警部が来て、発砲者について報告するということが行われています。

▼D 『震火災誌』178頁

▼E 『震火災誌』591頁

▼F 朝鮮人の発砲でケガをしたという訴えがあった

このように、何もしなかったわけではないにしても、警察が朝鮮人暴動は事実無根だと流言を否定したり、武器携帯を禁止し、虐殺を取り締まることはありませんでした。警察ができたのは「監守」と「保護収容」ですが、それは命を守る最低限の対処でした。

一方、実際の場面では、警察官が流言を煽り、武器携帯を推奨し、虐殺を容認、肯定するなどの「誤った行動」もありました。

戸部署の佐藤伝志巡査は、9月2日、数十人の武装した朝鮮人が集会を開いているとの知らせに出動します。「そこには人影ひとつなかった。右だ、左だ、いや向こうだと走り回っているうちに、恐ろしいもので、朝鮮人暴動はもはや既成の事実として疑わなくなっていた」「私たちもしまいにはサーベルを振り上げ本気で追いかけ」ていた、と述べています。▼A

河西春海の手記▼Bには水道山の警察官、つまり戸部署の警察官のことが出てきます。2日夜、一帯は流言で騒然としています。河西は、朝鮮人を追って来た一人の巡査に聞きます。「朝鮮人襲撃は本当なのか、それは組織的な行動なのか、その目的は何か」。

警察官は「本当らしい」と答えます。根拠は、藤棚で捕まった者は「何々方面」と書いた紙片を持っていた、久保山で殴り殺した者は呼子の笛を持っていたといったものです。そして、中村町からの伝聞として、30人ばかりの労働者が揮発油を持っていた、井戸へ硫酸銅を投じた者があるそうだというのです。中村町のものは流言に過ぎず、確実そうなのは紙片と笛を朝鮮人が持っていたことだけです。冷静に考えれば、紙片と笛から「不逞朝鮮人の組織的な襲撃は事実だ」とするのは飛躍があり過ぎます。

▼A 「影を追う」：『潮』1971年9月特大号
▼B 「遭難とその前後」：『横浜市震災誌第五冊』

しかし警察官の説明であり、具体的な事実を挙げて告げたので、河西は事実と信じます。そして、植民地支配に対する報いを受けているのだと自分なりの理解をします。こうして、確たる根拠が示されたわけではないのに警察官は流言を信じ、警察官を通して流言は事実となっていったのです。

また、この警察官は久保山で朝鮮人を「電柱へ縛りつけて殴り殺した」とも言っています。殴り殺したのは誰なのでしょうか。その実行者は逮捕されたのでしょうか。ここでは「不逞鮮人を殺す」ことを当たり前のように語っています。

河西はまた、抜剣した警察官が銃を持った自警団と一緒に「不逞鮮人」を追いかけるさまを書いています。そして警察官は、「追ひつめて見たら日本人の掠奪者だった」と言って検挙もせずに帰ってしまいます。では追いつめたのが朝鮮人であったならどうなっていたのでしょうか。警察官による朝鮮人虐殺が起きる可能性が極めて高い状況だったのは明らかです。

実際に、警察官による朝鮮人虐殺が起きていたことを示唆する記録もあります。たとえば中国人虐殺の実態について当時の中国政府機関などが作成した名簿があります。これらを検討した伊藤泉美「関東大震災と横浜華僑」▼c を読むと、神奈川県内で中国人123名が殺傷されていますが、そのうち、傷害2名、殺害10人については、加害者は民衆と一体となった警察官です。

殺害に加わるところまでいかなくても、警察が武器を持った民衆と一体となって朝鮮人を追うことは、流言を事実と認めた行動と変わりません。「朝鮮人殺害差し支えなし（殺してもかまわない、警察からも許されている）」と思わせるに十分な行動です。このよ

▼c 『横浜開港資料館紀要』15号、1997年

うな警察官の行動によって、人々は「流言は事実だ。武器を持て。殺してもよい」と信じることになったのです。

元街小学校の教員だった八木熊次郎は、警察官が出した指示について書いています。[▼A] 2日午後、上反町(かみたんまち)に来た警察官ですから、神奈川署の警察官です。警察官が伝えたのは、「不逞鮮人が三百名襲来することになって居る」「刑務所の囚人一千名を解放した。これ等が社会主義者と結託して放火強奪強姦井水に投毒等をする。昨夜は本牧方面を襲撃した」という流言そのものでした。不確かな流言が警察官を通して事実として伝えられたのです。

次に警察官が指示したことは、「怪しい者が来たら一同で喚声を挙(あ)げて下さい」「男子は武装して警戒をして下さい」の二つでした。

これは極めて不適切な行動指示です。「喚声を挙げてください」というのは、襲来する朝鮮人を威嚇し侵攻を防ごうとしたものでしょうか。しかし、怪しい者の正体を見極めることなく喚声を上げ、次々に喚声が上がるということでは、確かなことは把握できません。実際、あちこちで上がる喚声は不安をかきたて、流言が流言をよぶ事態になっていきました。

もう一つの指示は、武装しての警備です。震災で弱体化した警察は「不逞鮮人三百名襲来」の報に恐怖し、武装した民衆の協力がほしかったのでしょう。

戸部署も、民衆の武装、自警団の活動を認めています。「青年会率先して自警団を組織し老幼女の保護と鮮人の襲来に備え」ることを容認したのです。[▼B] 容認しただけでなく、警備の不足を武装した民衆に頼っています。2日夜、戸部署は朝鮮人を収容し

▼A 「関東大震災日記」横浜開港資料館蔵
▼B 『補天石』217頁
▼C 『補天石』218頁

た仮警察署の警備に在郷軍人の応援を求めています▼C。流言は真偽不明としながらも、流言を事実と認めたのと何等変わらない警戒行動を取っていたのです。

戸部署管内の自警団の結成は、南部の南太田、久保山付近から始まり、2日午後3時頃には浅間町、岡野町方面まで広がっていきます▼D。そして、青年会、在郷軍人会にとどまらず民衆は次々に武装していきます。「大震火災の惨禍を蒙りたるに何れより求め得たるかと疑ふばかり戎兇器（きょうき）を携へ或いは中等学校の備品なる銃剣の類を借用し来たりて恰も戦場の観があった▼E」。

武器を持った警備集団は統制のとれた組織でなければ危険な存在になります。警察や軍隊は指揮命令系統、武器の管理・使用の規制があり、統制された集団行動ができます。そのために訓練を重ねているのです。しかし、民衆の警備集団にそれはむずかしいことです。警察を上回る多数の武装集団の出現は、治安の崩壊と警察の無力化を招く結果となりました。

「隊伍を組みて来襲せしなどのこと皆無なり」

流言のたびに警察官が出動しましたが、「不逞鮮人」の確証はありませんでした。先に紹介した戸部署巡査の佐藤伝志も「捜索では朝鮮人暴動を示すものは何一つなかった▼F」と回想しています。また、民衆が警察に連行してきた朝鮮人を取り調べた結果、「一人の不逞鮮人すら居なかったことを確め得た▼G」としています。

このような報告の集約の結果、県当局は4日朝には「流言は虚報」という認識を持っていました。4日午前11時、安河内知事は、仮県庁を訪れた四竈孝輔侍従武官に対して、

▼D「戸部警察署管内の状況」『震火災誌』393〜394頁
▼E『補天石』217頁
▼F『潮』1971年9月特大号
▼G『補天石』219頁

朝鮮人虐殺について「鮮人と見れば善悪の差別もなくこれを殴打し、あるいは致死せしむるもの殆ど其の数を知らず」「実に気の毒に堪へざる次第なり」と述べるとともに、流言を否定し、「鮮人に対する諸種の流言蜚語盛に行はれ、人民兢々（きょうきょう）たりしも、事実は隊伍を組みて来襲せしなどのこと皆無なり」[A]と言い切っています。

このように「流言は虚報」との結論を得ていくのですが、県警察部や各署が流言は虚報だ、朝鮮人襲来の事実なし、と流言を強く打ち消すことはありませんでした。民衆の暴力が激化し、警察は民衆統制の力を失って治安崩壊の危機状況となっていたからです。

戸部署は2日、「鮮人襲来の蜚語は盛んに伝はりしも、偵察警戒に最も細心の注意を怠らず、其事無きを知り、直ちに蜚語なる旨宣伝」したとしています[B]が、そのような宣伝行動があったことを裏付ける記録や証言がありません。戸部署の仮庁舎が置かれた藤棚の第一中学校の証言を見ても、このような戸部署の宣伝が民衆に受け入れられた気配すらなく、そもそも「蜚語なる旨宣伝」の存在自体が疑われます。

「不逞鮮人」なる確証がなかったにもかかわらず、警察は流言否定の行動は執りませんでした。次々に起こる流言、民衆の暴行虐殺事件、警察官の不足という困難さがあったにしても、根本的には「不逞鮮人」を警戒しその襲撃を想定する予断を警察自身が持ち続けていたのです。

県当局が武器携帯の禁止を全市に通知するのは、神奈川警備隊（陸軍）が到着した4日のことです。戸部署は「右の宣伝文を直ちに各派出所、郡部駐在所、其他避難地及枢要道路に掲示」します[C]。

▼A　四竈孝輔『侍従武官日記』芙蓉書房、1980年。「神奈川県罹災状況」385〜391頁

▼B　『補天石』211〜212頁

▼C　『補天石』212頁

「軍隊は奥平少将以下均しく聯隊到着。食料は大阪、神戸より盛んに輸送せられつつあり。暴漢は軍隊の到着に依り、其形を見ず。市民の兇器所持は禁ぜらる。市民は安心して保護と食料の供給を待つべし――神奈川県」

しかし、この時すでに多くの朝鮮人・中国人が殺されていたのです。

第5節　軍隊の動き

ここまで警察がどう行動したかを見てきました。では軍隊はどうでしょうか。

東京では、地震当日の9月1日から軍隊が出動し、2日に戒厳令が宣告されると、軍隊による朝鮮人、中国人虐殺が起きました。「戒厳令」という言葉によって、兵士たちが「暴動鎮圧の出動である」と思い込んだことも虐殺の一因となりました。戒厳令がなければ虐殺はこれほど大規模にはならなかったとも考えられています。

しかし、関東大震災時の軍隊の意味や働きは、時期と地域によって異なります。横浜の場合、虐殺のピークは2日と3日です。そして、戒厳令に基づいて軍隊が本格的に登場するのは4日のこと。1000名を超える兵員を擁する陸軍の神奈川警備隊が到着したときには、すでに県当局も朝鮮人暴動は虚報であるという認識を持っていました。神奈川警備隊は朝鮮人、社会主義者を警戒しながらも、民衆の凶器携帯を禁止し、略奪を取り締まりました。横浜の治安はこれによって回復に向かい、虐殺もようやく鎮静化していきます。

では横浜においては、軍隊は全く虐殺に関わっていなかったのでしょうか。神奈川警備隊が到着する以前、流言・虐殺が最も激しかった9月2日、3日の横浜に、小規模な海軍陸戦隊と陸軍部隊が来ています。彼らがそのなかでどのように行動したのかをよく見てみる必要があります。

その前に、まずは軍隊の出動の制度的仕組みについて少し説明します。

陸軍部隊が置かれている都市では、その地域の駐屯部隊が警備に当たることが衛戍（えいじゅ）条例で定められていました。暴動や災害など、警察力では治安維持が及ばない時は、知事の要請または衛戍司令官（師団長、旅団長、連隊長）の判断で軍隊の出動が行われます。

ところが、横浜には軍隊が置かれていません。この場合、軍隊の出動は知事の要請または師団長の判断で行われます。横浜では、その判断を行うのは東京の第一師団長でした。横浜・東京間は電話、鉄道が整備されており、軍隊の即応展開が可能でした。1905年の「日比谷焼打事件」に始まる暴動では、知事の出兵要請からわずか6時間後には約400名の軍隊が到着しています。ところが震災のため電話は断絶し鉄道は不通となっており、軍隊の即応展開はできませんでした。[▼A]

県当局が軍隊への出兵要請を決断したのは地震発生直後でした。警察関係資料としては、森岡二朗警察部長や西坂勝人高等課長の手記や記録があり、県警察部幹部が県知事の承認を得て出兵要請に動いたことが記されています。[▼B]

しかし鉄道電話は破壊されており、連絡不能の中、2日に上京した県警察部の西坂、野口両課長が第一師団の石光師団長に面会し、ようやく出動要請ができました。この

▼A 参照：吉田律人「関東大震災と横浜市の警備体制」『近代都市の装置と統治：1910〜1930年代』日本経済評論社、2013年。73〜104頁

▼B 『震火災誌』1〜7、336〜341頁、西坂勝人『神奈川県下の大震火災と警察』195〜207頁、『補天石』299〜321頁

とき、石光師団長からは軍隊の派遣と5万人分の食糧支給の約束を取り付けています。この結果、3日には最初の陸軍部隊である第一師団歩兵第一連隊第七中隊(正木雪儀少佐)と騎兵第十五連隊(丸尾順太郎大佐)が横浜に到着しました。

これとは別に、海軍横須賀鎮守府から海軍の出動もありました。2日午後には「萩」ほか2隻の駆逐艦の陸戦隊が山下橋付近に上陸し、同日真夜中には駆逐艦「初霜」「響」の陸戦隊も磯子八幡橋に上陸します。

海軍陸戦隊の動き

まずは海軍陸戦隊の動きから見ていきましょう。

2日午後、山下橋付近に上陸した陸戦隊は市内を武装巡回します。治安が崩壊し不安の中にある市民に軍隊の到着を知らせるためです。小部隊ですが、「喇叭(ラッパ)を吹奏しつつ行軍」し、一晩かけて市内の広い地域を巡回しました。

午後10時、藤棚派出所まで来た陸戦隊(将校1、兵士10)は、戸部署山田巡査部長の先導で久保町、保土ヶ谷町、浅間町、青木町、軽井沢、平沼、西戸部と戸部署管内を巡回しています。▼C

午後11時10分頃、横浜公園の加賀町署の仮庁舎に来た陸戦隊16名は、警察官とともに「不逞者防圧」のため出動し、3日午前4時に引き揚げています。▼D

次いで軍艦「五十鈴」が駆逐艦2隻とともに磯子沖に向かい、2日午後11時30分に駆逐艦「初霜」、「響」の陸戦隊を磯子八幡橋に上陸させました。この陸戦隊は根岸磯子方面の警備の後、翌3日午前7時30分に磯子を出発し、中村町、伊勢佐木町を経て市

▼C 『補天石』228頁
▼D 『大正大震火災誌』392頁

内巡回を行った後、山下橋に向かっています。

3日朝、横浜港に回航した「五十鈴」は山下橋付近に陸戦隊を上陸させ、ここに陸戦隊本部を設置します。正午には軍艦「山城」が到着して「五十鈴」を指揮下に置き、その後、「春日」（4日到着）、「天竜」（5日到着）を指揮下に置いて横浜警備に当たりました。

松尾章一監修『関東大震災政府陸海軍関係史料Ⅲ巻海軍関係史料』▼Aから、震災直後の海軍の横浜での動きをみます。

最初に着手したのは警備活動でした。もともと県当局が海軍に第一に求めたのは「警備」ではありませんでした。三島丸にいた港務部長は駆逐艦萩に「糧食飲料水」「東京との無線通信」「港湾内使用の曳船」を、陸戦隊と面談した知事は「糧食」と「衛生材料」を求めています。しかし最初に着手されたのは警備活動でした。

『海軍関係史料』▼Bには、横浜に派遣された艦船・陸戦隊の報告が5つあります。そこから、陸戦隊が朝鮮人暴動といった流言をどう見て、どう行動したのかを読み取ることができます。

まず明らかなのは、彼らが朝鮮人暴動を事実と考え、疑っていないということです。たとえば「萩」の9月2日の艦長報告は「不逞鮮人の放火と相俟って全市火の海と化し」「昨夜来鮮人の暴徒約三百名市内に現はれ虐殺放火掠奪を行ひ、今尚市内通行は危険にて武装を要すと云ふ。本牧方面の火災は全部鮮人の放火に依れるものなり」などと書いています。

もっとも、実際に市内巡回をしてみても、襲撃してくる「不逞鮮人」集団に出会うことがなかったためでしょうか、翌3日の報告では集団的な襲撃や「火薬庫の爆発の企て」

▼A 日本経済評論社、1997年。以下、『海軍関係史料』

▼B 125〜129頁

などを虚報としています。しかし、朝鮮人の「不逞」行為自体は引き続き信じています。また、彼らは民衆の朝鮮人に対する暴行、殺害を黙認、肯定しており、取り締まる動きは見せていません。朝鮮人殺害を目の当たりにしながら、一人の朝鮮人も保護していません。「鮮人に対する私刑盛なり」「各所に於て鮮人と見れば容赦なく殺害したるものの如し」「解放の囚人は凡て市民に味方し鮮人を膺懲（ようちょう）しつつあり」と肯定しています。朝鮮人に対する「私刑」「殺害」を問題視したり、それを止める動きはありません。

そして、加賀町警察署の報告には、▼C 陸戦隊が「不逞鮮人防圧」のために出動したことが書かれています。

9月2日夜、加賀町署の仮庁舎があった横浜公園に「不逞鮮人襲来」の流言が伝わりました。保土ケ谷の300人の「不逞鮮人」が警察官との戦いに勝って西戸部方面まで来ているという流言を受けて、人々は恐怖にかられ凶器をもって加賀町署に集合します。警察とともに戦おうとしたのです。午後11時10分頃、そこに武装した陸戦隊16名が応援に来ます。警察官と陸戦隊は協力して不逞者防圧のために出動しました。

警察との戦闘に勝利するほどの朝鮮人の集団がやってくると信じている陸戦隊や警察が、もし朝鮮人と出会えば、そこに殺傷事件が発生したであろうことは容易に想像できます。少なくとも朝鮮人殺傷に走る民衆を制止することはなかったでしょう。

加賀町署の報告には「不逞者と認むべき者の片影をも認め得ず。陸戦隊は翌3日午前4時、喇叭（ラッパ）の信号を以て引揚げ、異状無しとの宣伝を為したる」とあります。しかしこの「宣伝」は朝鮮人が襲ってくるという流言自体の否定にはなっていません。むしろ、鎮圧に出動する軍隊の姿は、流言をますます事実と思わせ、虐殺を煽り助長する結

▼C 『震火災誌』393頁

中村川に架かる中村橋は現在も市民に親しまれる

果となったのです。

2日夜、寿町方面（松影町）にいたKさん（寿小高等科1年、現在の中学1年）の作文があります。

中村川の船に子どもたちだけで避難していたところへ兵隊が来て、軍用パンをくれます。市内巡回警備を行っていた陸戦隊です。兵隊は「朝鮮人が乱暴するから来たのだ」と言っています。兵隊が通り過ぎると、鉄砲の音と「ばんざい、ばんざい」の声。Kさんたちは兵隊が朝鮮人と戦っていると思い込んでおり、「勝ったのだ、うれしい」と喜ぶのです。

陸戦隊の出動によって、人々が流言をますます事実として受け止めたことが分かります。朝鮮人鎮圧のために出動する軍隊を見て、民衆は朝鮮人を殺傷することが公けに容認されたと思いこみ、朝鮮人虐殺はさらに激しく行われるようになったのです。

それだけでなく、わずかですが、陸戦隊自身による虐殺もあったことを示唆する資料もあります。とは言うものの、その実態を充分に明らかにすることができないのが現状です。

たとえば、3日夕刻に横浜に上陸した「大阪時事新報」の盬澤元治記者は「陸戦隊は右往左往して全市の秩序維持に努め、三日夜までに既に六百人の◯◯（鮮人）を◯◯（殺害）し、◯◯◯◯（社会主義者）もドンドン◯◯（殺害）された。言葉つきや顔が似たという許りで◯◯（殺害）された者も大分多い様だ▼A」と書いています。

先に紹介した中国人犠牲者名簿「日人惨殺温處僑工調査表▼B」には、海軍兵士による中国人労働者5名の殺傷事件が記録されています。研究者の伊藤泉美氏は、そこに記

▼A 『大阪時事新報』「死を決して帝都に入る」1923年9月6日付

▼B 『日本震災惨殺華僑案第1冊』所収、横浜開港資料館所蔵

された殺傷場所「英輪碼頭」を税関桟橋としています。[C] 税関桟橋は陸戦隊の活動地域です。5名は海軍兵士に縄で吊され、3名が死亡。2名は「中村警察(寿署の警察官)の取りなしで死を免れた」と具体的な状況が記されています。

陸軍部隊の動き(9月3日)

3日午前11時には県当局が要請した陸軍部隊が到着しています。第一師団歩兵第一連隊第七中隊の110名と伝書鳩を担当する鳩班です。新山下橋付近に上陸しました。次いで午後2時40分、騎兵第十五連隊の250名が陸路到着します。

県当局と陸海軍の協議があり、県当局は食糧品倉庫所在地、家屋残存地、罹災者集住地を示し、陸海軍はそれぞれの警備地域を決めています。海軍は山下町から久保山方面、陸軍は桜木町付近から神奈川町沿岸の倉庫群、東海道筋の神奈川町から保土ヶ谷町にかけての警備となりました。

『補天石』には、3日夜に騎兵分隊が保土ヶ谷方面に派遣され、藤棚派出所前には騎兵6名が駐屯したとあります。少人数の部隊を巡回させ兵士を分散配置し、兵士の姿を広く民衆に見せることで民衆の不安、動揺を静めようとしたわけです。しかし、陸海軍兵士総勢400余名では全市配置はできず、状況を変えることはできません。何よりも兵士自身が流言を信じ、民衆の武装、暴行虐殺を容認していたわけです。朝鮮人・中国人への迫害・虐殺は3日夜も激しく行われました。

松尾章一監修『関東大震災政府陸海軍関係史料Ⅱ巻陸軍関係史料』[D]には、横浜に最初に上陸した陸軍部隊、第一師団歩兵第一連隊第七中隊の報告が載っています。

[C] 伊藤「関東大震災と横浜華僑」『横浜開港資料館紀要』15号、1997年

[D] 日本経済評論社、1997年、706頁

これを読むと、「社会主義者及不逞鮮人往行」とあり、流言を事実と認識していることが分かります。また、「社会主義者は之を検挙し、一方鮮人の取締を厳重にしつつある」、「之が為め鮮人中虐殺せられたるもの少なからず」という記述が続きます。つまり、朝鮮人の取り締まりを厳重に行ったため、多くの朝鮮人が虐殺されたと報告しているのです。軍が朝鮮人を直接殺害したとは書いていませんが、軍の治安活動の中で朝鮮人が虐殺されたことは述べています。朝鮮人流言の否定や虐殺を止める行動はありませんでした。

先に紹介した「大阪時事新報」鹽澤元治記者の記事には、3日、東神奈川で騎兵が3名の朝鮮人を殺すのを目撃したとあります。

「東海道に出た記者は徒歩で東京に行くことに決心し、騎兵隊が駈け散らして行く街路を一歩宛進んだ、警戒が厳重で道路一町毎に青年團、消防隊、國粋會員等が長刀短銃と槍を提げて関所を設けて居る。東神奈川に著くと三名の◯◯(鮮人)が騎兵隊に追ひまくられて道路に飛び出したので忽ち◯(殺)されてしまった▼A」

また、中国人虐殺犠牲者名簿には、子安町で3日午後、25歳の陳崇榮が陸軍兵士と労働者によって殺害されたことが記されています。▼B

神奈川警備隊の到着(4日)

戒厳令によって神奈川警備隊が上陸した9月4日、横浜で市民の凶器携帯禁止命

▼A 大阪時事新報1923年9月6日付
▼B 伊藤泉美「関東大震災と横浜華僑」

令が出されます。すでに県当局も朝鮮人流言は虚報であるという認識に達しており、1000名規模の本格的な部隊展開によってようやく治安回復が始まったのです。神奈川警備隊は、当面の治安維持、民衆の武器携帯と略奪の取り締まりに取り組みます。それとともに迫害や虐殺も次第に鎮静化していったのです。

ただし、神奈川警備隊も虐殺の取り締まり、朝鮮人保護に積極的に動いたわけではありません。「神奈川警備隊の現況旬報第二」には「震災直後に於ける鮮人の最も不良性を有するものは、戸塚隧道工事に従事せる二百名、横浜刑務所より解放せられし四・五百名のものにして、主として横浜市西部高地森林内に在りて諸所に不正行為なしたるの形跡ありしも」とあります。今は沈静化しているが震災直後には確かに朝鮮人犯罪があったという認識だったのです。

奥平少将の自叙伝『不器用な自画像』▼C には、上陸当初の次のようなできごとも書かれています。

「市民数人一朝鮮人を縛し海軍陸戦隊に連来るを見て、法務官をして取調べしむ。後に聞けば法務官も一応取調べたるも別に不審とすべき処なきを以て一応海軍に預け置きたるに、市民は更に之を海軍より引取り、谷戸橋下の海中に投じ数回引上げては又沈め、遂に殺害せりと謂ふ」

軍が不審者ではないとした朝鮮人を、市民が引き取ってすぐに殺したというのです。朝鮮人を引き渡せばどうなるのか、軍がそれを知らなかったはずがありません。殺害

▼C　同書239頁

した者たちを軍が取り締まった形跡もありません。神奈川警備隊も虐殺を放置しており、積極的に取り締まったわけではなかったことが分かります。したがって、神奈川警備隊の登場で治安は回復に向かったとは言えますが、朝鮮人・中国人に対する迫害と虐殺がすぐに根絶されたわけではなかったのです。

【研究ノート余録1】

保土ヶ谷の朝鮮人労働者を守った親方たち

「保土ヶ谷の朝鮮人が襲撃してくる」。当時の記録を読むと、そんな流言が市内一円に広がっていたことが分かります。また、神奈川警備隊（陸軍）の記録にも、「震災直後に於ける鮮人の最も不良性を有するものは、戸塚隧道（トンネル）工事に従事せる２００名」とあります（「神奈川警備隊旬報第二」）。保土ヶ谷町の鉄道工事に多くの朝鮮人労働者が従事していたことは確かで、そのことは当時よく知られていました。

しかし流言のような事実はありませんでした。戸部署の指示もあり、鉄道工事の朝鮮人の大半は宿舎内に留まり、外へは出ていないのです。

戸部署の記録『補天石』には、9月4日に「保土ヶ谷鉄道工事幹部堀江政外四名、明日より鉄道復旧工事開始に付鮮人を使用致度も、夜間民衆より襲撃を受くるの虞あるを以て、相当保護ありたき旨出願あり」とあります（２３０頁）。工事請負人5名が、宿舎内に留め置いていた朝鮮人労働者を明日（5日）から使いたいので警備をしてほしいと戸部署に依頼しているのです。

ここに出てくる工事請負人「堀江政外四名」の名前は、「大正12年震災功績調書」（神奈川県立公文書館蔵）にも出てきます。堀江政、村上袈裟松、歳野弘治、松下鉄造です。使っていた朝鮮人労働者の数が、村上が20余名、歳野50名、松下30名とあります（堀江は人数不明）。先の『補天石』の引用と重ねて考えれば、当時、朝鮮人労働者百数十人が宿舎内にいて安全を確保されていたことが分かります。「保土ヶ谷の朝鮮人が襲撃してくる」という流言も、「最も不良性を有する」という認識も、全くの事実無根だったのです。

工事請負人の一人、村上袈裟松は、大分県南海部郡大入島村の出身です。15歳から鉄道工事の仕事に入り、請負人になりました。履歴を見ると、「大正10年山梨県南巨摩郡早川水力工事合資会社間組下請負し、現在同会社田代川水力工事施行中」「現在、山口県下長門線第八工区、合資会社間組下請負人として施行中」「現在神奈川県橘樹郡信濃隧道、鉄道工業合資会社下請負人として施行中」とあります。歳野弘治は福島県若松市、松下鉄造は富山県東砺波郡中田町の出身です。全国を巡って鉄道工事を請け負う親方たちであったことが分かります。

村上は震災当時、朝鮮人の監守(保護・観察すること)をする一方、私費を投じて、東海道筋を避難する人々に食糧、ぞうり、衣類、小銭を用意して救援を行いました。

「草履(ぞうり)及草鞋(わらじ)約二百足、之外に附近より駄菓子若干を買い集め之を配給し、更に大釜を据え数名の人夫を使役して玄白米を炊出し握飯を作りて之を施與し、斯くすること二日より六日迄続行し、為に四俵余を費せり」(「震災功績調書」)

このように、保土ヶ谷には、流言や自警団の横行に動揺することなく、やるべきことをやっていた「土工の親方」たちがいたのです。

また「震災功績調書」には、二俣川村(現在の保土ヶ谷区西部)で堀江政の配下の朝鮮人労働者4名が守られたことが出ています。匿ったのは国方登という人物。守ったのは村の消防組頭の清水喜代です。

2日夕方、流言が広がって危険な状況になったため、4名の朝鮮人が宿舎へ戻ることができなくなりました。彼らは、かねて知り合いだった国方登の家に身を寄せることにしました。清水喜代が、彼らを守るために消防組を率いて警戒に当たりました。4日夕方、保土ヶ谷下星川消防組や青年会など20余名が、やりや刀を手に国方の家に押しかけて来ます。このとき清水は消防組員を率いて急行。身体を張って談判し、彼らを追い返しました。

中国人を守った話も残っています。

保土ヶ谷から帷子川をさかのぼると西谷村（現在の旭区）です。9月5日、消防組頭の金子寿吉は、保土ヶ谷に向かう中国人を見かけて呼び止めました。そして、今は危険だからと自宅に保護します。彼は上海出身の呉鳳岐といい、東京府（三河島村前沼2847）から神奈川県に働きに来ていたのでした。やがてこれを知った群衆が「朝鮮人を匿っている、引き渡せ」と押しかけてきました。金子は身を挺して彼らを阻止します。その間に巡査が駆けつけ、呉鳳岐は守られました。

知人の朝鮮人を守るために自宅に匿う。引き渡すわけにはいかないと身体を張って談判する。見知らぬ中国人であっても危険な目に遭うと思えば声をかけて守る。そんな当たり前の思いが、降りかかる危険を超える行動となって人の命を守ったのです。たとえ少数であっても、迫害と虐殺の中で、このような人びとの行動があったことを忘れてはなりません。

第2章

虐殺は「平楽の丘」から始まった

第1節　流言はなぜ生まれたのか

第1章では、横浜市内で「朝鮮人の暴動」の流言と、朝鮮人の迫害・虐殺がどのように広がっていったのかを見てきました。あるいは、北部丘陵の戸部署を中心に、警察がどのような役割を果たしたのか、あるいは果たさなかったのかも見てきました。

この章では南部丘陵地、特に「平楽の丘」と呼ばれる地域に焦点を当てて、そこで起きていたことを浮かび上がらせてみたいと思います。この丘こそは、一過性ではなく多くの人を突き動かす強力な流言が生まれた場所であり、流言が単に「朝鮮人の襲来」を告げるだけでなく「武器を手にせよ」「朝鮮人殺害さしつかえなし」と殺害を煽るものにまで成長した場所だからです。

平楽の丘で朝鮮人流言が発生したのは地震の当日、9月1日の夜のことです。この時点では、市街地や北部では流言も虐殺も起こっていません。強力な流言と、それが引き起こす暴行・虐殺が、焼失した市街地を越えて北部へ伝わるのは、翌2日のことです。

震災後にまとめられた司法省の報告は、横浜を朝鮮人流言の大きな発生源と見ています。その横浜の流言が平楽の丘で生まれたのだとすると、その経緯を知ることは、朝鮮人虐殺という出来事の意味を考える上で大きな意味を持つはずです。

なぜ、人びとは朝鮮人流言を信じたのか。なぜ「殺害さしつかえなし」と考え、実際に殺害するに至ったのか。その理由の糸口が、平楽の丘で起きたことの中にあるのではないでしょうか。

平楽の丘は、中村川の南にある丘陵で、地名で言うと平楽、唐沢、打越に当たる地域です。当時はすべて中村町に属しました。中村町は今よりもはるかに広く16字があり、平楽、唐沢、打越もその字の一つでした。

丘の下の中村川沿いの低地には、市街が広がり、職工や労働者が多く住んでいました。丘の上は林の残る住宅地で、勤め人や外国人の住宅もありました。山手からの尾根道には、横浜植木会社や平楽小学校があり、稲荷山に続いています。中村川沿いの下町からは尾根道に上る坂がいくつかあり、それぞれ、地蔵坂、牛坂（牛島坂）、猿坂（モンケ坂）、遊行坂、東坂、狸坂、やぎ坂（ぶた坂）、蓮池坂、蛇坂、くらやみ坂と、興味深い名前がついています。

横浜は市街地のほぼ全域が焼失したため、火に追われた人びとは丘陵地に避難しました。平楽の丘の下も、堀割川の西を除いてほぼ全焼しました。そのため、丘の上には焼け出された人びとが登ってきます。神奈川県警察部がまとめた『大正大震火災誌』▼Aによれば、その数は4万人以上。特に「平楽の原」と呼ばれる丘の上には3万人が集まっています。

中村川を挟んで真金町・永楽町には横浜遊廓がありました。その遊廓の女性たちが丘の上に避難して来たことを、いくつかの手記が書きとめています。また遊行坂下から東橋、三吉橋にかけては、対岸の三吉町、千歳町とともに木賃宿の並ぶ労働者の街でした。これらの木賃宿には朝鮮人・中国人労働者もいました。彼らもまた、遊行坂やたぬき坂を上って来ていました。こうして丘の上には、日ごろは互いに接することのない多様な人々が集まっていたのです。

▼A　1926年。以下、『震火災誌』

ほぼ焼失した市街地から平楽の丘へ続く狸坂。震災を生き延びた人たちが、この坂を駆け上がった

夜に入ると、市街地を焼き尽くした火は下火に向かっていましたが、中村川に面した神奈川県揮発物貯庫はいまだ炎上中でした。1万5000坪の敷地に建てられた鉄骨煉瓦造の倉庫に、石油、揮発油、酒精、機械油などが貯蔵されており、地元の人からは「石油倉(せきゆぐら)」と呼ばれていました。耐火を施した倉庫でしたが、夕刻から一部の倒壊倉庫に着火し、やがて次々に炎上したのです。前章で紹介した朝日新聞記者の河西春海も、丘の上から石油倉炎上の様子を眺めています。

「四尺位の鉄筒の揮発油へ火が入ると、それは物凄い火炎を吐き乍(なが)ら空高くくるくると躍り上った。吐き出す炎が尽きると風を切って墜落する。普通の石油缶などはポンポンポンと連続的に連射砲のやうな爆音を立て乍ら、煙火のやうに空へ跳上る」▼A

これを見た河西は、石油倉の火がさらに堀割川対岸の横浜爆発物貯庫に引火することを恐れて東へ逃げ、鷺山まで避難したと書いています。

停電で闇に沈んだ丘の上で、人びとは煌々と立ちのぼる石油倉の炎を見つめ、恐れと不安の中ですごしていたのです。

これに加えて、この地域では不穏な出来事が次々に起こったことが『震火災誌』に記されています。▼B

一つ目は、横浜刑務所から囚人たちが解放されたことです。

横浜刑務所は、平楽の丘から西へさほど遠くない根岸町字広地にありました。平楽の丘と同じ寿署の管内です。刑務所は建物が全焼したため、1日午後6時に千名余の囚人を解放しました。この措置は合法とされています。当時の監獄法は、天災事変で避難の場所なく他所へ護送する方法もない時は囚人を解放できることになっていたか

▼A 「市震災誌第五冊」410頁
▼B 同書 136〜137頁

らです。しかし、囚人解放の経緯には、緊迫した厳しい状況がありました。
司法省行刑局の資料「刑務所震災被害ニ関スル調書」によれば、囚人の多数が「自由、解放」を叫び、職員は鎮撫に努めたけれども「武力に訴へて抑圧せんとするも武器及戒具の大部分は既に焼失し少数の職員の之を防ぐこと能はさる」という状況となり、結局、千名余の囚人を解放したとあります。

警察史料『震火災誌』は、これら囚人が「徘徊し衣食を漁る者続出し、地方民何れも危惧の念を抱きつつある▼C」と述べています。囚人たちは2日午後7時の解放期限までに帰還するか、警察に出頭することになっていましたが、実際には9月末までに帰還した者は許されたようです。「9月末日迄の帰還者は780名にして、残る301名は逃走者と見做（みな）されたり▼D」とあります。

解放されても職員と共に刑務所にとどまって自警や労務に従事した者もありましたが、集団で略奪に走る者もいました。解放囚人の中田某など18名は、「罹災民救護の名の下に義勇団なるものを組織し」根岸町の8カ所を襲撃し、「脅迫して武器、酒、米、野菜其の他の食糧品を強奪▼E」しています。

囚人解放の報に人々が武器を持って備えるということも起きています。平楽のたぬき坂上に住んでいた清水清之（当時、石川小学校教員）は、釈放された囚人の全員がこの山に来て居るから、焼け残った家では特に注意するようにという知らせに、竹やりを作り、父と交代で警戒した。それは朝鮮人来襲の流言を聞く前のこととして書いています。▼F

二つ目は、1日の深夜、警護にあたった警察官が何者かによって刀傷を負う事件が起

▼C 『震火災誌』137頁
▼D 『震火災誌』142頁
▼E 『震火災誌』142頁
▼F 清水清之「あの日、あの時—関東大震災の想い出」：神奈川県歴教協横浜支部高校部会編1974年

きたことです。出志久保品一警部（署長代理）の手記には「深夜警戒に出た巡査影山辰雄は、何者かに左手を斬られ保護を受けて帰ってきた」▼Aとあります。手記ではこれだけなのですが、司法省資料ではそれが朝鮮人の犯行にされています。同資料の「鮮人の犯罪」には「9月1日午後12時、中村町字平楽115番地附近」で、影山巡査が誰何したが、応答しないので捕らえようとしたところ、「突然鋭利なる刃物を以て同巡査の左手甲を刺し負傷せしむ」とあります。神奈川警備隊の調査報告▼Bでも、朝鮮人により負傷させられたとなっています。

三つ目は、この地域で残存家屋への略奪が始まったことです。『震火災誌』は、「罹災民中の不逞者は少許の残存家屋を襲ふて、食糧其の他いやしくも生活の必需品は一品も之を余さず掠奪（りゃくだつ）し▼C」と述べています。

四つ目は、山口正憲が1日午後4時、平楽の原で「横浜震災救護団」を結成したことです。山口正憲は立憲労働党の総理です。党本部は東京（牛込区船河原町）に置いたまま、本人は横浜へ移り活動していました。この「横浜震災救護団」は、流言と虐殺の問題に関わる重要な意味を持っていますので、詳しくは後述します。

さて、こうした不穏な出来事の連鎖は市内の他の地域には見られなかった要素でした。人々の恐怖や不安は否応なく高まります。寿署の報告は、「不穏の気は刻々増大し」、「極力治安の維持に努めたるも、風声鶴唳（ふうせいかくれい）に愕（おどろ）き流言蜚語に怯ゆる罹災民は不安裡に恐怖するのみにして、不穏の状態は去るべくもあらず▼D」と述べています。

朝鮮人流言は、こうした雰囲気の中で生まれ、広がったのです。『震火災誌』は、それを「誰言うとなく朝鮮人の放火、強盗、強姦等の暴行を演じつつあるの風説流布さる

▼A　西坂勝人「神奈川縣下の大震火災と警察」211～213頁
▼B　「神奈川警備隊の現況旬報・旬報第二」『横浜市震災誌』第四冊34頁
▼C　同書137頁
▼D　同書137頁
▼E　同書137頁

るや、不安は一層増大し」[E]と記しています。寿署の報告はさらに、「翌2日よりは更に流言蜚語は増大して部民は竹槍、刀剣を持して警護に任じつつあるも、不節制なる自警団の暴行は時と共に激烈を加へ、時々鬨声(ときのこえ)を揚げて鮮人を追ふ等殆んど戦時状態の如き観を呈せり」[F]と記しています。

朝鮮人流言が平楽の丘から根岸町相沢、山元町に伝わったのは1日午後7時頃です。[G]したがって、最初の朝鮮人流言は、平楽の丘で午後7時以前に現れていたことになります。

県揮発物貯庫(石油倉)の裏山に避難していた南吉田第二小学校の作文(6年生)には、「朝鮮人を気をつけろ」という叫び声が起こり、怖がっている間に「つむじ風が吹いて」「太い火柱がたった」とあります。「横浜火災図」[H]を見ると、石油倉の中央部に火が及ぶのは午後8時で、大きな火災旋風も起きています。この作文の記述は、朝鮮人流言が石油倉の裏山に伝わったのが石油倉炎上・旋風発生以前だったことを裏付けています。

第2節 「平楽の丘」で起きた虐殺

平楽の丘で広がった虐殺の様子を、「震災作文」から読み取ってみましょう。

震災作文とは、関東大震災の後に児童生徒が学校で書いた震災経験についての作文のことです。横浜では寿小学校、石川小学校、南吉田第二小学校、磯子小学校の4つの小学校の作文集が確認されています。

横浜は、最も激しい虐殺が行われていた地であるにもかかわらず、残された記録が多くはありません。そうした中で、震災のすぐ後に書かれた子どもたちの作文は、貴

▼F 同書137頁

▼G 第一章、表2「流言記録」)

▼H 神奈川県測候所1923年

重な歴史の証言となっており、その一部は『朝鮮人虐殺関連児童証言史料』[A]に所収されています。

石川小は中村町打越にあり、平楽の丘の一部と根岸町の山元町など競馬場北部の一部を学区としていました。丘陵地ですので、半数以上の子どもの自宅は無事でした。一方、寿小の学区は市街地の埋地7カ町ですから、全焼失地域になります。子どもたちは家を失って避難民となりました。車橋を渡って山手中村町、競馬場北部の地域に避難しました。したがって、この2校の作文は、主に平楽の丘のようすを伝えています。

また南吉田第二小の学区も市街地ですから全焼失地でした。子どもたちは道場橋や三吉橋を渡って石油倉裏の丘に避難しており、作文は主に中村町西部のようすを伝えています。

これらの作文から分かることは、平楽の丘を中心にした地域では、1日目の夜から朝鮮人流言、暴行・虐殺が各所で行われているということです。

流言の内容で中心を占めるのは、朝鮮人襲来です。「朝鮮人が攻めて来る」「刀を持って来る」「ピストルで殺しに来る」といった流言が圧倒的に多く、次が「朝鮮人がさわいでいる・あばれている」、そして「火付け（放火）」です。「井戸に毒を入れる」「爆弾を落とす」はわずかですが、あります。

そして人びとは武器を手にします。朝鮮人の襲撃が身に迫っていると疑いもなく確信して、恐怖の中で武器を手にしているのです。「ワー、ワー」と言って朝鮮人を追いかける様子、朝鮮人を殺して上がる「万歳、万歳」の声によって、流言の真偽を問うこともなく朝鮮人襲来の実在が信じられていることが分かります。「女子供まで棒を持った」。

▼A　琴秉洞編・解説『関東大震災朝鮮人虐殺問題関係史料Ⅰ』、緑蔭書房、1989年

朝鮮人を追うのに加わった子どもたちもいます。

震災時に攻撃してくる朝鮮人に対する憎悪も書き込まれています。「我々の困る所へ来てあばれるなんて腹立たしい。そこへ来て鮮人だと聞いては、なおさらくやしい。あゝ殺してもものたりない」と書いた作文もあります。流言によってかき立てられた恐怖と憎悪、敵意の中、人々は虐殺へ向かっていったのです。

朝鮮人への警戒を呼びかけ、虐殺を煽る動きが繰り返されていることも分かります。


「朝鮮人が来るから寝ないでください」「朝鮮人が来たら殺せ」「朝鮮人が来た、男は棒を持って朝鮮人を殺せ」「男は夜警に出て下さい、女子供は影の方で寝ていてください」


このような声が何度もかけられています。誰が伝えたのかが書いてある作文は少ないのですが、「おまわりさんが」「青年団の人が」「ちょうちんを下げた人が」と書いてあるものもあります。はちまきや合言葉を決めたことも出ていますから、1日夜に一部では組織的な動きが始まっていたことが分かります。

持ち出された武器は棒、鉄棒、竹やり、とび口、刀や銃器などです。焼け出された避難民があらかじめ武器を持ってきたとは思えません。どこかから鉄棒を探したり、竹を削って竹やりをつくったりしたのでしょう。一方、家を失うことがなかった地元の人びとは刀、とび口、そして銃まで持ち出しています。1日目から「ズドン、ズドン」という銃声が響き、ピストルを持った夜警の姿が現れています。

これは1日目ではありませんが、堀之内では2日に刀や槍のある家から貸し出されたこと、また3日には中村町唐沢の植木会社で先の尖った棒が配られたと書いてあるものもあります。自警団の組織化とともに殺傷力のある武器が配られたのです。

また作文は、1日目に起きた凄惨な迫害や虐殺の場面を生々しく伝えています。捕らえられた朝鮮人を見に集まる大勢の人々。「私、朝鮮人。らんぼうしません」と幾度も幾度も頭をさげて助けを求めた朝鮮人。「アイゴー、アイゴー」という叫び声。刀やピストルで脅しながらの詰問に押し黙ったままの朝鮮人。当時の朝鮮人労働者のほとんどが、日本に来て2、3年以内で、日本語が全く分からない人も少なくありませんでした。「私は声のする方へ行って見ると、男の人が大ぜいで棒を持って朝鮮人をぶち殺してゐました」。朝鮮人を殺して上がる万歳の声、血まみれた遺体を竹棒で突き、つばきをかける人々、川を流れる遺体。

作文は、虐殺を目撃した子どもたちの気持ちも伝えています。恐怖のうちに棒を持つた子、朝鮮人への憎しみを記した子がいます。一方で、むごい場面を目撃し、たまらない思いを抱く子どもたちもいました。

第3節　山口正憲と「横浜震災救護団」

横浜震災救護団による略奪の始まり

子どもたちの作文は、平楽の丘が1日の夜以降、朝鮮人に対する暴行と虐殺の場となっていたことを語っています。この地域の治安に責任をもつはずの寿警察署は、何をしていたのでしょうか。それを理解するには、その前に山口正憲という人物と、彼が率いる「横浜震災救護団」の話をしなくてはなりません。その存在は「平楽の丘」から朝鮮人流言と虐殺が広がっていく上で、一つの引き金となったと考えられるからです。

山口正憲（立憲労働党総理）は1889年生まれで、当時34歳でした。1918年には土工総同盟を結成して、労働者を監禁して暴力的に働かせる「タコ部屋」の改革を主張し、1920年には不安定な条件で働く港湾の「乙種人夫」を主体とした「横浜仲士同盟会」の結成に尽力するなど、最も劣悪な状況に置かれた労働者と結びついた活動を行ってきました。仲士とは港湾で荷役を行う「沖仲士」と呼ばれる労働者たちのことです。この同盟会は、日本で最初のメーデーを主催したとされています。

「横浜仲士同盟会」の顧問であった金井芳次は、山口のことを「その頃日本の社会主義者として労働運動の旗がしらとなっていた片山潜、石川三四郎、西川光二郎、堺枯川あるいは大杉栄、荒畑寒村、山川均らと同志的つながりのあった古い社会運動家吉田只次と親交の深かった当時横浜における有力な社会運動家」だったと述べています。[A]

一方で彼は、立憲労働党の綱領に「皇室を奉戴し」と掲げる、天皇国家としての日本への「愛国思想」の持ち主でもありました。横浜仲士同盟会創立のチラシ冒頭は「愛国的情熱に燃ゆる我等労働者は…」で始まっています。

その一方で、仲士同盟会主催で震災の年に行われたメーデーには朝鮮人沖仲士2名が参加していましたし、東京・大島町の中国人労働者の陳情にも同行するなど、[B]「いちがいに排外主義と決めつけることはできない」[C]という指摘もあります。彼の社会主義は、当時盛んだったマルクス主義でも無政府主義でもなく、愛国主義的な国家社会主義で

▼A 金井芳次『私の労働運動史』1966年
▼B 「国民新聞」1922年8月19日付
▼C 今井清一『横浜の関東大震災』有隣堂、2007年

あったようで、一筋縄ではいきません。

山口の自宅は平楽の丘の上、たぬき坂を上がりきったところにありました。近くの石川小学校で教員をしていた清水清之は当時、その隣に住んでいました。清水によれば、山口宅は緑色の二階屋で、妻の若菜が助産師を務める「山口産院」の看板がかかっていました。毎日、十名ほどの青年が出入りし、家の裏には酒瓶の山、メーデーともなると裏の雑木林の木の上に赤旗が翻ったそうです。山口らを監視するために、清水氏の家で刑事が張り込みすることもあったといいます。

その山口が震災に際して「横浜震災救護団」のリーダーとして登場します。

裁判資料によれば、震災当日の午後2時過ぎ、「山口産院」が半壊したため、山口と妻・若菜は自宅近くの「平楽の原」に移動します。そこには3万人の避難民が集まっていました。2時間後の午後4時頃、山口は小高い場所に立ち、彼らの前で演説を行います。


「(避難民は)見るに忍びざる状況なれば、此等病傷者の手当、罹災者救護の為めの食糧等の調達及び分配については、政府の救助あるまで不取敢(とりあえず)一の機関を設くる必要あり」▼A

つまり、政府の援助が届くまでの間、持てる者、富裕の者から奪って困窮する被災者に配るべきだと訴えたのです。「賛成の諸君は拍手を願ひ度(た)い」と呼びかけると、拍手が起きました。ここに「横浜震災救護団」が結成され、山口はその団長に就きます。

彼らはすぐに「決死隊」をつくって平楽169番地の材木屋を襲います。避難民のた

▼A 「第一審判決書(1924年7月22日)」の予審調書・山口供述:法律新聞1924年7月22日付

めの仮小屋建設に使うとして杉丸太50本と杉板50枚を「徴発」したのです。横浜地方裁判所の予審決定書[▼B]には、午後4時頃、十数名の一隊で押しかけ、「抜刀や鉄棒類を携へ立憲労働党員なりと称し、留守を預っていた塚本某に対し『野郎居るか、殺して仕舞へ』と言ひ乍(なが)ら、打ちかからんとする気勢を示して脅迫」したとあります。

その後、「決死隊」は赤布を腕に巻き、赤い三角旗を押し立てて、日本刀、竹やり、こん棒を手に商店や家屋を襲いました。特に植木会社の脇を下る山元町の通りには商店が多く、震災救護団や避難民の略奪を受けました。

震災救護団の呼びかけに応じたのは、山口の活動に縁があった沖仲士たちが中心で、地元の有力者や被災者のリーダーたちは参加していません。青年団や在郷軍人との関係もうかがえません。公判記録を見ると、店を打ち壊す、出さぬと叩き殺すぞなど乱暴におどしつけての「徴発」を繰り返しており、山口たちから食糧を受け取ったり、看護されたりした被災者の一部を除けば、共感は少なかったようです。

「横浜震災救護団」による略奪については、後に16人が起訴され、うち12人が強盗罪で有罪となります。裁判で問われたのは中村町、山元町、根岸町と、南部丘陵地での略奪ですが、大規模な略奪が行われていた港湾の税関倉庫にも遠征していたようです。

公判の証言を見ると、名刺を出した上で、代金は後で払うと話をつけていたケースもあります。米騒動の経験から言われるままに米を出したという神林千代吉(中村町の米屋)の証言もありました。

「旗を押し立てた40名内外の一隊がやって来た。売れ残った玄米が三百俵余もあ

▼B　1924年2月20日

ったので、その内刑務所に出す分を残して置けば持って行ってもよいと云った。私の当時の考へでは品物を持って居ては危険であるから早く処分して終ひたいと思って居た際であるし、嘗て米騒動の場合に襲われた恐ろしい経験もあるので先方の請ふままに承知した[▼A]」

横浜震災救護団による救護活動と寿警察署の対応

横浜震災救護団は、翌2日には横浜植木会社の本館を占拠します。植木会社は園芸植物や農産物の輸出入を営む会社ですが、この会社の約1万2000坪の構内には、当時約5000人の避難民がいました。

報知新聞の1923年10月25日付記事は、同社の小野重役の言葉を伝えています。

「9月2日午後1時頃、山口の部下と名乗る赤襷の数名が来て、罹災者の救護事務所に会社を貸してくれと申し込んできた。その時、鈴木社長宅へも山口自身が言って頼んだので社長は自動車部を貸すことを快諾した。山口等は後にそこは狭いといって本館に移った」

山口らは、自動車置き場を貸そうという会社側の提案を拒否して会社で最も大きな「本館」を占拠したのです。本館の大広間には傷病者のためのベッドが持ち込まれ、助産師の若菜が中心となってその手当に当たりました。また玄関には食糧配給所、無料郵便物取扱所が設けられ、郵便物は救護団幹部の伊丹槐（沖仲士・元養蚕教師）が担当

▼A　横浜貿易新報1924年6月26日付

していました。植木会社の小野重役が埼玉県の親戚に出した手紙も確かに先方に届いたといいます。公判では、物資の輸送に自動車2台を使用していたことも明らかになっています。

同記事は、山口の残したノートに次のように記されていたといいます。

「9月1日午後12時半、家族と共に山下病院に避難中、平楽小学校より出火せしため二度山上に避難し救護に尽力す。直ちに決死隊を組織し、救護の為病人傷者を一般病院（病院は自分等のものを指す）に収容し、食糧の徴発の為め全力を挙げて努力し、40俵の米と味噌醤油等5樽を得、山上の避難民に分配し、其より各傷者の手当に尽力す。家族を省るいとまなし」

こうした山口たちの救護活動については公判でも言及されています。寿署の出志久保警部は、「私は山口被告等が罹災者の救護及病傷者の手当に充分尽力した事を認めます」と証言しています。▼B また、横浜市の田村内記課長は、山口から配給についての書簡を受け取った事実などを証言した後、「山口が罹災民救護に努め郵便事務の取り扱ひ等に関し尽力したことを確聞した」と述べました。▼C

瀧川検事はその論告で、「被告等が避難民を救助し若（もし）くは傷病者の治療に従事し郵便物の取扱に便宜を与えた等其功績の挙ぐべきもの少なからず、従って彼等は市民謝恩の的となり国家の表彰も受くべかりしに…」と言及しました。▼D

こうした中、この地域を管轄とする寿警察署は、いったい何をしていたのでしょうか。

▼B 「横浜貿易新報」1924年6月25日付
▼C 同上
▼D 「横浜貿易新報」1924年6月26日付

山口正憲らが占拠した横浜植木会社は、100年後のいまも「平楽の丘」に建つ

横浜震災救護団が略奪を繰り返しているのに、寿警察署はこれを制止した形跡がほとんどありません。第1章でも見たとおり、寿署は震災によって極めて弱体化していたからです。もともとは市街地の扇町4丁目にあった寿署ですが、市街地の全焼に伴い、1日の午後3時には平楽の丘の上にある唐沢交番を仮庁舎としました。

署長の長谷川啓三郎警視は郷里の山梨県へ旅行中で不在、在署員は出志久保品一警部以下約30名でした。震災直後の午後0時30分、警察部長より警察官の非常召集の命が下り、寿署は「当直員と馳せ集まりたる非番員とを合し約20名を警部補に引率せしめて横浜公園に向」わせます。▼A 出志久保警部は残った少数の署員と派出所巡査を率いて南部丘陵地の中村町唐沢へ避難しました。20名もの警察官が非常召集されたことは寿署弱体化の一端となります。長谷川署長は「横浜公園に非番員参集すべしとの命令は最も急迫の場合に警察力を停止せられ…応急措置に齟齬を来したるを遺憾とす」と述懐しています。▼B

『震火災誌』の第三編「各警察署に於ける救護及施設概要」には各警察署の取り組みの報告が並んでいます。それを読み比べると、寿署の状況が他の警察署と比べても著しく困難な状況にあったことが分かります。

「署員等の動きと日時」の項には「当初は如何せん、新聞紙片に報告書を認め居るの実況にて記録の存するものなく、数字的事項判明せず」とあります。報告を書く紙さえなくて新聞紙を使っている有様で、まともに記録も取れなかったというのです。「署員への命令」には、「不取敢（とりあえず）伝令及（および）監督者を派して警察本署の所在を知らしめ、且（かつ）各詰員は更に何分の命令ある迄（まで）各自の管轄内にありて自治的に最善を尽すべく命令す」

▼A 『大正大震火災史』136頁

▼B 同 598頁

とあります。つまり、自分の判断で最善の行動をしなさいと各警察官に命令しているのです。署員に対する組織的な指示ができなくなっていたのです。「署員亦常に飢餓に瀕せり」という記述まであります。警察官の食糧すら確保できなかったのです。

このように、寿署は略奪の制止はおろか、被災者の救護についても何もできませんでした。他の署の報告に比べてその文量の少なさ、具体的な内容の薄さは際立っています。「殆んど救護の途なき有様なり」とだけあり、寿署が食糧支給や傷病者の救護という基本的な問題に対して何も取り組めなかったことが分かります。

山口正憲は、こうした状況にある警察の統制に従う気は初めからなかったようです。社会主義者が演説しているとの報を聞いて出動した寿署の出志久保品一警部の証言があります。▼c

「駆付けて見ると其宣伝は既にやんで山口正憲が妻と共にテント張りの内に居た。山口に向って何をして居たかと尋ねると同人は頗る憤激の態度をして、山口を知らないかと言った風な言葉で一種の反抗的態度をして居た」

3日になると、寿署は先に震災救護団が入っている植木会社に移ります。救護団が使っているのが「本館」であるのに対して、寿署が入ったのは、その3分の1ほどの大きさの「倉庫」でした。こうして横浜震災救護団と寿署は共に横浜植木会社を拠点とすることになったのです。公判で山口は、寿署に対して自分たちの拠点を「救護本部」と称していいます。救護活動の中心点という自負があったのでしょう。

▼c 公判1924年6月24日：横浜貿易新報1924年6月25日付

裁判で問われた16件の略奪のうち、寿署によって検挙された者は一人もいません。警察資料には、寿署が山口たちの行動をとがめたり牽制したりしていたと記されていますが、実際には制止するだけの力はなく、半ば黙認していたのが実情です。

神奈川警備隊による逮捕

軍隊が到着すると、寿署は軍の力を借りて山口らを抑え込もうとします。神奈川警備隊が上陸した4日、その午後6時に寿署は「警察を無視し横暴極まりなく、良民共に恐怖する所」と通報し、出兵を要請しました。▼A

神奈川警備隊司令官の奥平俊蔵は、自叙伝『不器用な自画像』に次のように記しています。

「4日夕刻、寿警察署長は一巡査を司令部に遣(つか)はし、只今警察署が不逞団数百名より包囲されつつあり、至急軍隊の来援を乞ふと。其事情を聴取せるに、一巡査が山口部下の一暴徒を負傷せしめた理由に依り、山口は部下を集めて該巡査の引渡を強要するにありと。予は人民を保護すべき警察を保護せねばならぬとは不可解な事柄なりやと笑ひたるも、兎も角も憲兵数名と歩兵20名を附し現場に行かしめたるに、軍隊の到着するや暴徒は直に四散し、何等事無くして止みたり」▼B

6日にも「寿警察署長は署員僅少にして、治安維持に困難なるを以て、軍隊警備を懇願」▼Cしたことを受けて、憲兵が山口たちを監視することになります。

しかし、山口たちの略奪行為を知りながら検挙しない寿署に対して、軍は不信感を抱きます。神奈川警備隊の「現況旬報」は、「警察必ずしも信頼すべからず。恰(あたか)も山口

▼A 憲兵隊の活動」：『市震災誌第四冊』108頁

▼B 『不器用な自画像』245頁

▼C 「憲兵業務の概要」：『市震災誌第四冊』110頁

一派に使嗾(しそう)せられんとする形跡なきにしもあらず」▼Dとしています。寿署は、山口らとグルなのではないかと疑われているのです。さらに、寿署の一巡査が「強盗未遂・持兇器哨兵暴行」で警備中の兵士に検挙される事件まで発生します。▼E 軍の警察に対する不信は極まりました。

10日、軍は独断で山口たち数十人の検挙に踏み切ります。警察資料には「早朝、持永憲兵少佐は立憲労働党一派検挙の為め来濱せりとて通告的挨拶。森岡警察部長、大麻内務事務官は持永少佐来訪事件に付き警備隊長奥平少将を訪ひ、安河内長官は上京の上関係各省を訪ふ」▼Fとあります。憲兵隊の一方的な検挙通告に、安河内知事や警察部長らがあわてている様子が分かります。

こうして、山口正憲と横浜震災救護団は憲兵隊によって検挙され、16人が起訴されることになりました。

流言を広めたのは山口正憲か

以上が山口正憲と横浜震災救護団の行動の顛末です。ここからは、彼らの行動が朝鮮人流言や虐殺とどう関わっていたのかを考えてみたいと思います。

まずは流言の問題です。実は、横浜の朝鮮人虐殺が取り上げられる時、朝鮮人流言の出所として、しばしば山口正憲の名前が上がってきました。

しかし、これは事実として確かめられたものではありません。

司法省が1923年11月にまとめた『震災後に於ける刑事事犯及之に関聯する事項調査書（秘）』には、「巷間伝ふるもの」として、山口正憲の1日午後4時の演説によって

▼D 『市震災誌第四冊』14頁

▼E 『神奈川方面警備隊法務部日誌』及び『市震災誌第四冊』111頁（本書199頁参照）

▼F 西坂勝人『大震火災と警察』191頁

朝鮮人襲来の流言が一気に広まったという風評が載っています。

司法省資料の内容は、このままでは矛盾したものです。なぜなら、この風評のすぐ前に、横浜で最初の流言は1日午後7時頃であり、その流言が山口正憲のいた平楽などに達したのは午後8時、9時だったとしているからです。「巷間伝ふるもの」であるにしても、午後7時に始まってその後に平楽に伝わった流言を、山口が午後4時の演説で広めることは不可能です。司法省資料は、あくまでも山口発生説を事実と思えない「風説」として記述しているのです。加えて、山口はすで起訴されているので審理が進めばその真偽は判明するだろう、とも書いています。しかし実際に公判が始まると、審理は山口の食糧などの「徴発」が強盗罪に当たるかどうかをめぐってのみ進行し、流言や朝鮮人虐殺については一切触れませんでした。

山口正憲を「流言の出所」とする説は、震災の翌月、10月段階の新聞が警察情報として盛んに書き立てたものでした。10月12日付報知新聞は、「神奈川県刑事課は警視庁と協力し、立憲労働党領袖佐藤政治外19名を挙げ厳重取調べ」たところ、彼らが「不平鮮人が横浜北方方面に出没して子女を犯し井戸へ毒薬を投じ、残存家屋に放火しつつある」と流言を放った事実が判明したと報じています。また、2日後の14日付同紙では「〇〇〇襲来という流言の出所について、既報の如く神奈川県高津署長の言動が問題となっているが、正憲一派が掠奪を敢行するために放った事実も動かすことのできぬもの」と書いています。

9月28日付東京日日新聞は「強盗犯のほか殺人嫌疑もあり」とし、10月17日には「警視庁、神奈川県警察部等で取調べ、流言の最初の出所は強盗罪で横浜刑務所に収監中の山口正憲一味十余名の所為と判明」、「○○○が襲来したから避難せよとおびやかし、或いは避難民集合地にいって右の虚言を流布してその間に金品を奪取した」と書いています。

10月19日付読売新聞も、「流言蜚語の出所は神奈川県なることが判明、其の主犯は立憲労働党総理社会主義者山口正憲」と報じています。

朝鮮人虐殺の記事が解禁された10月21日を過ぎるあたりまで、警察情報に基づくものとして、山口らが流言の発生源であった、それが朝鮮人虐殺の拡大の原因だとする記事が続きます。10月21日付読売新聞は、「事件を生んだのは山口正憲一派」とし、10月22日付時事新報は、「根岸、本牧に於て鮮人其他数十名を殺傷した」と書いています。10月25日付報知新聞は、森岡県警察部長の言明として、「横浜の虚説は、山口一味から出たものである」と紹介しています。

ところが10月末になると、それまでの警察情報を否定する憲兵情報が登場します。「警察はすべてを山口一派に押しかぶせようとしている」「朝鮮人流言は山口一派から出たものではない」「罹災民救護の活動をしていた」「略奪のすべてが山口一派によるものではない」という内容です。

恐らくは、取り調べが進み、山口起訴の枠組みが決まる中で、公判に向けての情報操作が行われたのだと考えられます。山口の問題は、流言・虐殺との関わりではなく「食糧等の徴発が強盗罪に当たるか」だけに変えられていきました。「横浜の山口正憲の行動に関し、官憲では極悪不逞の徒であると云ふし、一方では義賊的行為であると云ふ声もある。立場と見様によってはこうも違うものか[▼A]」という記事も出ます。これ以後

▼A 朝日新聞1923年10月26日付

は山口と流言・虐殺とのかかわりは追及されなくなり、「強盗団か義賊か」といった論調になります。

山口の流言説をめぐるこうした一連の新聞報道からは、官憲による情報操作は読み取れても、事実としてはっきり言えることは何もありません。この情報操作から官憲の意図を探っていくことも興味深い課題ですが、大事なことは、山口たち震災救護団が平楽の丘で実際にどう行動していたのかを明らかにすることです。

この地域に囚人の解放が伝えられるのは1日午後6時すぎ、朝鮮人流言が生まれるのが7時前です。それに対して震災救護団の結成は午後4時です。つまり、彼らは横浜で最も早く武装した集団であり、この地域の人々は、いち早く武器を持った集団が実力行使するのを目の当たりにしたことになります。それは、やがて「不逞鮮人の襲来」の流言に、抵抗なく直ちに武装することの一因となったと考えます。

山口正憲らは虐殺にどう関わったのか

山口たちは、震災後の集団的な民衆の武装のさきがけです。その武装集団が、朝鮮人流言・虐殺が最初に始まった地域にいたのです。虐殺と無縁だったとは考えられません。

しかし、山口たち震災救護団が流言、虐殺に直接関与したという確かな証言や史料は見出されていません。10月段階であれほど流された「流言の出所は山口一派」という話も、その後、新聞は書かなくなります。残されている公判史料を読んでも、略奪や救護についての話しか出てきません。それ以外の確かな史料は乏しく、不明点が多いのが現状です。掘り起こされていない事実があるように思います。

山口らと流言・虐殺の関係を考える上で、私が注目したのは以下の三点です。

第一は、山口の「愛国思想」です。山口はある種の国家社会主義者であり、天皇国家日本への「愛国思想」を抱いていました。

9月2日午前5時頃、出動した寿署の警官隊は初めて震災救護団と遭遇します。警察資料には「旗を持ち赤布を巻きたる集団」とあります。「旗」とだけあって、それがどんな旗かは記されていません。震災救護団は赤い旗を押し立てて徴発に向かいましたから、以前、私はそれも赤旗なのだろうと思い込んでいました。ところがその後、1924年6月24日の公判における出志久保警部の証言が、「国旗を押し立て」と明確に述べているのを知りました。[A] つまり、警官隊が出会ったのは「国旗・日の丸」を掲げた集団だったのです。

また横浜植木会社の小野重役は、山口たちが事務所前に各方面の状況を掲示し、「信越線、高崎線は東京付近まで開通」などの情報とともに、「東久爾殿下妃殿下及王子御三方は鵠沼海岸に御無事、万歳。摂政宮御無事、万々歳」と書いていたと語っています。[B] 山口にとって皇室の安否は重要な情報であり、その無事に「万歳」と書いていたのです。彼の震災時の行動には、「愛国思想」の発露という側面があったのではないでしょうか。

第二は、彼らが略奪と救護だけでなく、警備活動も行っていたという事実です。

報知新聞に[C]「1日夜、解放された囚人200名をくい止め保護し、後で横浜刑務所に送り届けた。横浜刑務所長椎名通藏氏から山口に宛た礼状を所持している」とあります。先述のように、1日の夜、横浜刑務所は建物が焼失したために囚人を一時的に

▼A 6月25日付東京日日新聞、同日付横浜貿易新報
▼B 報知新聞1923年10月25日付
▼C 報知新聞1923年10月25日付

解放しました。山口らは、この囚人たちを捕まえて刑務所に送り届け、そのため椎名刑務所長から感謝状をもらったのです（ここでも寿署を圧倒しています）。公判でも弁護側が椎名所長の証人申請をして却下されており、その経緯を読むと、礼状をもらったことは事実であることが分かります。

したがって、震災救護団の武装は略奪だけでなく警備のためにも使われていたということです。実際、神奈川警備隊資料には、山口が「幾度か警察に対して市内警備に任ぜんことを申出」たことが記されています。[▼A]

1日の夜、彼らは囚人解放の報を受けて、すぐさま警備行動をしていたのです。だとすれば、続いて起こった朝鮮人襲来の流言に対しても行動したと考えるのが自然です。地域には朝鮮人を追う自警団が生まれていました。山口たちもまた同様の行動をしたのではないでしょうか。

こうして震災1日目の中村町の状況に山口の愛国思想と警備活動を置いてみると、山口らが流言の出所ではないにしても、彼らが「不逞鮮人」への警戒を呼びかけ、迫害・虐殺に関与した可能性は高いと思われます。少なくとも流言・虐殺の側に身を置いて行動したことは確かではないでしょうか。

第三が、「赤い布」です。

山口らに対する予審決定書[▼B]は、「（山口は）赤色旗を掲げ或は左腕に赤布を纏（まと）はしめて団員の識別にし、略奪行為の指揮統率に任じた」としています。[▼C] 2日朝、山元町を襲った震災救護団の決死隊は、赤い旗を押し立て左腕に赤布を巻いていました。これは明らかに震災救護団の識別、誇示のためです。自宅周辺が襲われた石川小の子どもの

▼A 『市震災誌第四冊』108頁
▼B 1924年2月20日
▼C 法律新聞1924年2月28日付

作文にも「社会主義者の一隊が赤旗を立て表通りへおしかけ」「労働隊がおしよせ」と書いているものがあります。

ところで、出志久保警部の公判証言▼Dからは、もう一つの赤い布の事実が明らかになります。公判で「山口一味は赤い布を付けてゐなかったか」と聞かれた出志久保警部は、2日午前5時に平楽に向かう途中で赤布を巻いた集団に出会い取り除かせたことを述べた後、「その後、山口の宅に行きましたら妻が皆の者に赤い布を与えてゐたから聞くと、鮮人と区別するのだといってゐた」と答えています。▼E

山口の妻・若菜が、赤布の目的を、朝鮮人と区別するためだと言ったというのです。清水清之も、赤布について同様のことを手記▼Fに記しています。2日朝、山口の自宅前で、その配下と思われる男たちが「赤い小ぎれ」を持って「通行人が来る毎(ごと)に昨夜から鮮人狩が行われて居るから日本人はすべてこの赤いマークをつけよと真面目くさって渡している」とあります。時間も場所も、出志久保警部の目撃証言と同じです。

山口たちは、朝鮮人と区別するためと言って赤布を配っていたのです。この事実は大きな意味を持っています。これは朝鮮人の存在を許さぬ警備の徹底をはかる行動です。そして何よりも、山口たちが虐殺の側にあったこと、朝鮮人虐殺に加担していたことを示すものです。

その後、赤布を腕に巻く山口たちのスタイルは、朝鮮人と区別する識別として、平楽の丘にとどまらず市内に広まっていきます。

横浜地方裁判所の長岡熊雄判事は3日朝、避難していたパリー丸から横浜に上陸し、赤布をめぐる体験をしています。桜木町駅付近で、棒を持った人々から、朝鮮人と区

▼D　1924年6月24日付東京日日新聞

▼E　1924年6月25日

▼F　「あの日、あの時―関東大震災の想い出」1974年

現在の平楽の丘。デマと虐殺の発火点となったことを後世に伝えるものは何もない

別するための赤布を巻くように強く言われたのです。赤布を巻いて横浜駅を過ぎ高島駅前に来ると、今度は、赤布は朝鮮人が知ってしまったので白布にせよ、と言われます。[▼A]

赤布を印と決めたのが山口たちだと知った戸部署が白布に変えたという新聞記事もあります。

「山口一派は赤襷(たすき)、赤鉢巻で赤い印をつけていないと鮮人にやられるとふれまわし、当時全市をあげて青年団、在郷軍人はじめ警官さへ左腕に赤い布をまいたほどである。5日、戸部署で強盗罪として検挙した(山口)正憲一派の佐藤酉藏の口から赤化宣伝の事実が判明したので、赤い腕章を白にかへた[▼B]」

赤い布を腕に巻くという山口らの行動は、横浜市内全域に、識別と虐殺のサインを広げることにつながったのです。

第4節 「朝鮮人殺害さしつかえなし」

なぜ流言と虐殺が、他の地域ではなく平楽の丘の上で始まったのか。その答えが、少しずつ浮かび上がってきました。

9月1日夜、丘の上には4万人の避難民がひしめいていました。丘の下では石油倉が暗闇の中で燃え続け、近くの横浜刑務所からは囚人たちが逃げ出したという不穏な

▼A 『横浜地方裁判所震災略記』、1935年

▼B 1923年10月21日付東京日日新聞

知らせが飛び込んできます。何よりも、山口正憲と横浜震災救護団の登場は、他の地域になかった要素でした。赤い三角旗を掲げて集団で商店に押し入る彼らの存在自体が、朝鮮人流言に説得力を与えたでしょうし、後には彼ら自身が朝鮮人流言を信じて行動するようになりました。

こうした不穏な状況が、平楽の丘で人々を突き動かすほどの力をもった流言を生み出し、虐殺の始まりと拡大につながったのではないかと思われます。

しかし、もう一つ、最も重要な疑問が残されています。

「朝鮮人殺害さしつかえなし」。平楽の丘で生まれ、横浜全市に広がり、最悪の事態を引き起こしたこの言葉が、なぜ、どのように現れたのかということです。

先に見たように、寿署は極めて困難な状況にありました。警察署の建物が全焼し、丘の上に避難した後、組織的な対応ができないほどに弱体化していました。そのため、朝鮮人が襲ってくるという流言に真っ先に恐怖を覚えたでしょう。

その結果、寿署は、流言を否定して自警団の動きを抑え、暴行・虐殺を制止するといった、本来は警察(行政)に求められていたはずのことを行いませんでした。寿署が流言の否定や暴行の制止といったことを行ったという証言が存在しないのです。

地域の証言には、警察官が流言を広げ、「朝鮮人が来たら殺してください」と虐殺を煽っていたことや、警察署や交番が暴行や虐殺の場となっていたというものがあります。また、捕まえられた朝鮮人が警察に連行されていますが、寿署の報告資料には朝鮮人を保護したという記録がありません。

「朝鮮人殺害さしつかえなし」につながる証言を紹介します。

一つ目は、当時、吉田小学校教員だった伊藤漻氏の手記です。▼A 1日夜、伊藤氏は吉田小学校で被災し、火に追われて中村町平楽に逃げています。

「…突如、暗をつらぬくときの声、何事ぞといぶかる其の時『鮮人が来たッ。男子は得物を持て、女子供は外に出るな、手に余れば…』とはげしき警官のさけび。すわこそ憎き鮮人よ、人の弱味につけ込んで、忽ちあなたこなたにかがり火ならぬたき火がもし付けられぬ。後鉢巻に長棒をもちて、敵はいつでも来いとののしり合う若人たち。殺気立ちたる有様に歯の根は合わず、流言は流言を生み、怖しさは何とも云う言葉なし」

もう一つは、『市震災誌第三冊』に収められた「長者町郵便局報告」で、これも1日夜の平楽の原のことです。

「突然警報が来た、曰く『不逞鮮人二千名が本牧から此の方に押寄せてくる。棍棒でも用意して応戦せよ。殺しても構はぬ』と。原は物凄き叫びでどよめいた」▼B

子どもたちの作文の中にもあります。1日夜、平楽の丘に続く石油倉の裏山です。

「…さつきにげてきたところへいくと、おまわりさんが、朝鮮が刃物をもってくるから来たら殺してくださいと言って来ました。僕はそれを聞いた時びっくりしました。

▼A 「あの日、あの時―関東大震災の想い出」所収

▼B 同書101頁

そうして僕は兄さんとナイフをもって竹林へ行ってまっすぐでじょうぶな竹をとって竹やりを三本こしらえてくると、むこうのほうではうはうという声がしますので、声のするほうを見ますと、それは朝鮮の来るのをまっている人でした」

（南吉田第二小学校　6年）

「…明方である、巡査が来て、今、櫻町方面へ十五、六人の鮮人が、松明を付けて残家を焼盡（やきつく）すと言って押し寄せたから用心せよ、と言って走った」

（石川小学校　高等科2年）▼C

これらを見ると、警察官たちが流言を差し迫った現実と思い込んでいるのが分かります。「鮮人が来たッ」とは、「朝鮮人がすぐ近くまで来ている、間もなく襲ってくる」という緊急事態を告げる言葉です。そして、警官の「得物を持て…手に余れば…」「殺しても構はぬ」「来たら殺してください」の言葉を受けて、人々は武器を手にしています。警察官の言葉によって人々は流言を信じ、また朝鮮人を殺すことが警察によって許されていると思い、朝鮮人虐殺に向かっていったのです。

さらには、朝鮮人が警察に連行され、警察署・交番が暴行・虐殺の現場になっていたことも、子どもたちの作文からうかがえます。

◉2日朝、朝鮮人が交番にしばられていた（寿小学校　高等科1年）

「『朝鮮人が交番にしばられているから、見にいかないか』朝鮮人は電信にいはいつけられて眞青な顔をしていました。よその人は『こいつにくらしいやつだ』といって

▼C　高等科2年は現在の中学2年にあたります

竹棒で頭をぶったので、朝鮮人はぐったりと下へ頭をさげてしまいました。わきにいた人は、ぶってばかりいてわいけない。ちゃんとわけをきいてからでなければいけない、と言っていました。朝鮮人は頭を上げながら、かく物をくれと、手まねしていました」

◉2日朝、朝鮮人が交番の前にゆわかれていた（寿小学校　高等科1年）

「朝になって外通へ行って見ると、朝鮮人がひもにゆはかれて、交番の前にいた」

◉2日朝、交番前の電信柱にゆわかれていた（石川小学校　高等科2年）

「相澤の方へと下りて来ると、交番の前に朝鮮人が電信柱へ針金でぎりぎりにゆはかれて半てんを着ている人に鉄の棒で頭をぶたれている」

◉3日朝、警察に連れて行って、殺してしまった（石川小学校　高等科2年）

「朝鮮人が耳からえりの所にかけて切られて、肉がでて血がだらだら流れて居て、おかしな言葉でわいわい泣いて行って、警察へ連れて行って、大ぜいの人々にさんざんにひどい目にあはされたりして、とうとうころしてしまひました」

交番やその周辺が、凄惨な暴力、さらには殺人の現場となっていることが分かります。

寿小学校の震災作文『大震遭難記』に「あゝ鮮人」（高等科1年）という作文[A]があります。震災作文の中で唯一、流言を疑い、迫害される朝鮮人に心を寄せた作文として知られていますが、9月1日～2日朝の平楽の丘での自警団の動き、寿署の関与を具体的に伝える貴重な資料です。

作文の前半は、埋地7カ町の自宅が倒壊し、火に追われて避難する様子が書かれて

▼A　「朝鮮人虐殺関連児童証言史料」琴秉洞編・解説『関東大震災朝鮮人虐殺問題関係史料Ⅰ』、緑蔭書房、1989年）40～44、81～86頁

います。中村川にかかる車橋には避難民が殺到し、一家ははぐれてしまい、弟と二人で唐沢の植木会社に避難します。作文の後半では、1日夜の植木会社でのことと、翌2日早朝、母親の避難した松山に向かうところまでが書かれています。松山とは現在は市立石川小学校のある場所で、震災時は林と草原で避難地の一つになりました。寿署の仮庁舎となった唐沢交番から遊行坂を下った途中にあります。作文の後半を、少し長めに引用します。

唐沢の横浜植木会社に避難し、そこで野宿している場面です。

やっと皆んながねむりについた頃、がやがやといふ人声がきこへて、此方へ来るようであった。すると向の方でピストルの音が五、六度したと思ふと、ばたばたと人が此方へ来るようであった。私達のねてゐる前へ来ると、土びたにぺたっとすはった。こっちでねてゐる人はたいがい目がさめてしまったから、其の人の様子をいきをこらして見てゐた。「私、朝鮮人あります。らんぼうしません」といひながら、私達の方に向って幾度も幾度も頭をさげておぢぎをしました。
そこへ大勢の夜けいの人達が来て、其の朝鮮人に向って頭(かしら)のような人がそばによって、「これ、お前はさっきゐろといった所にゐないでこんな所へ来たのだ」「私さっきの地震おっかない事あります」「うそいへ、そんな地震はいつあった」朝鮮人はだまってゐた。頭立った人は皆んなと色々と話をしてゐたが、又向き直って、「おい」「はい」「さっきけいさつのだんなと立ち合った時には、何んにも持ってゐないといったが、今お前のもってゐるのは何だ」「えゝっ」といったが、「これはさっきもらった米です」「そうか見せろ」「いえだめです」「何がだめだ。これでもか」といひながら、こしにさしてあった日本刀をぎらりとぬいて、朝鮮人の目の前につき出した。朝鮮人はそれでも大事そうに小さい油紙につつんだ物をはなそうともしなかった。私は心の中で早く出せばよいのに、たかがお米なら中を開いて見せてやればよいと思った。いつまでたっても返事をしないので、こん度は大勢の人が日本刀でほうをしっぱたいたり、ピストルを向けたりしても、鮮人はだまってゐた。

さっきの人が鮮人に向ひ「おい、だまってゐちゃあわからねえよ、なんとかしねえか」といって、刀をふり上げて力まかせに鮮人のほほをぶった。その時に月の光が輝やいて、そのすごさとゐったら、身の毛もよだつくらひでした。いくらなにをされても鮮人は一言もはなさなかった。しらべる人からがをおって鮮人に向ひ、「おい、しかたがねえから、けいさつへ行ってだんなの前でお話をしろよ」そういひながら大勢でよってたかってかつぎ上げて、門の方へと行ってしまった。行った後は、やはり水をうったようにしんとしていた。私は翌朝までまんじりともしなかった。

東の空がだんだん白らんで来る頃、私は松山へ行こうと思って足をはやめた。壽けいさつの前を通りこそうと思ふと、門内からうむうむとうめき声が聞へて来た。私は物ずきにも、昨夜の事なぞはけろりとわすれて、門の内へはいった。うむうむとうなってゐるのは、五、六人の人が木にゆはかれ、顔なぞはめちゃめちゃで目も口もなく、ただ胸のあたりがびくびくと動いてゐるだけであった。私はいくら朝鮮人が悪い事をしたといふが、なんだかしんじよーと思ってもしんじる事はできなかった。其の日けいさつのにわでうめゐた人は、今何処にゐるのであらうか。

「あゝ鮮人」と題した作文を書いた強い思いが「私はいくら朝鮮人が悪い事をしたといふが、なんだかしんじよーと思ってもしんじる事はできなかった。其の日けいさつのにわでうめゐた人は、今何処にゐるのであらうか」という結びに込められています。しかし、ここでは、作文で具体的に示された自警団の動きや寿署の流言・虐殺への関与について読み取ってみたいと思います。

第一に、捕らえられた朝鮮人について。

中村川にかかる三吉橋、東橋付近から遊行坂下にかけては木賃宿が並び、朝鮮人労働者たちも暮らしていました（図d参照）。遊行坂を上れば、寿署の仮庁舎になった唐沢交番や植木会社があります。木賃宿の地域は焼失しましたから、朝鮮人労働者も丘の上の植木会社などに避難していたはずです。この朝鮮人もその一人かも知れません。

この朝鮮人は一度捕らえられ、警察の取り調べを受けたことが分かります。彼はそこから植木会社に逃げてきました。「私、朝鮮人あります。らんぼうしません、といひながら、私達の方に向って幾度も幾度も頭をさげておぢぎをしました」とあります。捕らえられたが、身の危険を感じて植木会社の避難民に助けを求めて来たのです。

彼は日本語でやり取りしていますから、何度か日本に来ているか、比較的長期間、日本で働いている人と思われます。自分のことを知っていて、助けてくれる日本人がいるかもしれないと思い、植木会社に逃げて来たのではないでしょうか。

第二に、自警団(夜警)について。

「男の人は夜けいいに出てください。女子供は影の方でねていてくださいよ！ と大勢の人が同じ事をいいながら歩いていた」とあります。1日夜、流言は疑問の余地なく信じられ、自警団が組織されていったことが分かります。ピストルの音も聞こえます。

この朝鮮人を追ってきた自警団は、刀とピストルを持っていますから、自宅が残存している地元の唐沢、打越の人びとと思われます。そして「頭立った人」、つまりリーダーのもとに、組織的に行動しています。

刀やピストルをかざして捕まえた朝鮮人を執拗に詰問しています。そして「けいさつへ行ってだんなの前でお話をしろよ」と言って、警察に連行しています。

第三に、寿警察署について。

作文に出てくる「寿けいさつ」とは、唐沢交番、つまり寿署の仮庁舎のことです。唐沢交番には寿警察仮本部の看板がありました。出志久保警部は手記に、「(9月1日)午後3時一と先、唐沢巡査派出所に引上げた。そうして同派出所の破れた羽目板に震災後第一の寿警察仮本部の看板を掲げ命令の中心点を明示した」▼A と述べています。また唐沢交番は植木会社から松山へ向かう途中にありますから、作文の記述と一致します。

作文には「さっきけいさつのだんなと立ち合った時」「けいさつへ行ってだんなの前でお話をしろよ」とあります。寿署が朝鮮人を捕らえ、取り調べていたことが分かります。

翌朝、警察署の前を通りかかると、連行された5、6人の朝鮮人が門内の立木に縛られていました。「顔なぞはめちゃめちゃで目も口もなく」というひどい暴行を受けた様子です。警察官の動きが書かれているわけではありませんが、寿署が暴行したと考えるのが自然です。少なくとも、瀕死の重傷者を縛ったまま放置しているのは寿署です。

▼A 西坂勝人『大震火災と警察』211頁

こうして見ると、寿署が少なくとも朝鮮人への暴行・虐殺を黙認あるいは公認していた、さらには関与していた可能性は極めて高いということがわかります。

実は、山口正憲たちが、公判中に▼B「寿署が朝鮮人を殺害した」と叫んだことがあります。

この日の公判では寿署の出志久保警部、大谷巡査の証言があったのですが、山口は自分たちに有利な証言があるものと期待していたようです。しかし、思い通りの証言は得られず、被告席から叫んだのです。

東京日日新聞は、山口が被告席から起立して、いきり立って発言したと報じています。「証人出志久保警部は曖昧な発言をして居るが、当時救護本部（山口たちのこと）と寿署とは頗る密接な関係あり、米を署に送ったこともあり、長谷川署長は罹災民救護について頼むといって居た程です。今一度曖昧な証言について取調られたい、と裁判官に希望して『その要なし』とはねつけられた▼C」。

また横浜貿易新報▼Dは、大谷巡査が被告等に極めて不利な証言をしたので、被告等は血腹を立て「寿署の警官が署内で多数の鮮人を殺したのを実見した。当時の警察官は血迷ふて居た」と同巡査に喰ってかかった、と報じています。

公判中の怒りにまかせた不規則発言ですが、寿署の痛い所を突いた「暴露」だった可能性があります。山口たち横浜震災救護団と寿署は、ともに唐沢の横浜植木会社の敷地内に本拠を置いており、互いに相手の行動はよく知るところだったからです。

公判は略奪行為のみを問い、流言や虐殺との関係は一切問われていません。流言・虐殺を問えば、当然、寿署の関与も問われることになります。虐殺には触れないとい

▼B　1924年6月24日

▼C　横浜横須賀版1924年6月25日付

▼D　1924年6月25日付

う暗黙の了解があったのではないでしょうか。

こうして幾つかの史料を突き合わせていくと、浮かび上がってくるのは、流言と虐殺に寿署が深く関わっていたという事実です。9月1日の夜、平楽の丘で流言・虐殺が始まったとき、寿署は流言を事実と信じて行動していました。警察自身が流言を広げ、「朝鮮人が来たら殺してください」と煽り、連行されて来た朝鮮人の一人も保護することなく、さらには警察・交番が暴行虐殺の現場になったのです。こうした警察の行動によって、「朝鮮人を殺すことは警察から許されている」という「風説」が生まれ、人々はそれを信じ、広めたのです。

平楽の丘で生まれた「朝鮮人殺害さしつかえなし」は、長岡熊雄判事が桜木町駅前で「警察部長から鮮人と見れば殺害しても差支ないといふ通達が出て居る」と聞き、石坂修一判事が藤棚で「鮮人と見れば直に殺してよしといふ布告が出たり」と従弟から聞かされたように全市に広がり、虐殺を激化させました。

戒厳令によって横浜へ派遣された神奈川警備隊は、「市内には、警察署から〝鮮人殺害差支なし〟の布告があったという風評あり」として調査しています。[A]調査に対して寿警察署長は「本件の根拠不明なるも、巡査等が朝鮮人放火等の風評を聞き、『朝鮮人は殺してもよい』位の事を言ひたるものに起因するものならんか」と答えています。警察署長自身が、寿署の警察官の言動がこの風評を生み出したことを認めているのです。

平楽の丘で始まった流言、虐殺は、地域の不穏な状況から生まれました。朝鮮人の来襲という流言を信じ、それに恐怖し、武器を持って警戒、虐殺に向かったのは、民衆も、山口正憲たちも、寿署も同様だったと思われます。民衆、山口正憲たち、寿署、それぞ

▼A 『横浜市震災誌第四冊』35〜36頁

れが影響しあう中で「朝鮮人が襲ってくる、武器を手に取れ、朝鮮人殺害さしつかえなし」という強力な流言が生まれたのです。その中で寿署と警察官が、流言を肯定し、虐殺を煽り、民衆の暴行・虐殺を認め、黙認したことは、流言、虐殺の拡大に決定的な影響を与えたと言えます。寿署の責任は大きいのです。

【研究ノート余録2】

鎌田ひさの――横浜震災救護団の女性リーダー

1924年7月22日、横浜地裁は、山口正憲をはじめとする横浜震災救護団の中心的メンバー12名に有罪判決を下しました。その中に一人、女性の名前があります。「鎌田ひさの」という人です。

判決文によれば、鎌田は40人ばかりの者を従えて米屋、酒屋、煙草荒物商など、5カ所を襲ったとされています（法律新聞同年8月20日付）。判決文に引用された証言を見てみましょう。

・米屋（玄米20俵を略奪された）

「立憲労働党山口正憲部下の連中30～40人、赤旗を立て抜刀、竹槍、棍棒等を持ち、年頃40位の色黒き太りたる女が襷（たすき）を掛け、偉い勢にて皆を指揮し私方に押寄せ…」

・酒屋（酒、醤油、味噌などを略奪された）

「赤旗を立てたる40歳許（ばか）りの色黒の太りたる大変元気の良い一人の女を交へたる30～40人一隊が、山元町方面より喊聲（かんせい）を挙げて押寄せ来たり」

・煙草荒物酒商（煙草、醤油、焼酎、塩を略奪された）

「45～46歳と思はれる尻をからげて襷を掛けた偉い元気の太った女を交へた一隊が、三角の赤旗を立て、手に手に竹槍、鳶口（とびくち）等を持って不意にどかどか押寄せ来たり」

・煙草荒物商（刻煙草15包を略奪された）

「其女は吾々は社会主義者だが大勢の人助の為にするのだから煙草は出せ、出さぬと叩き殺すぞと申し、私が巻煙草は生憎（あいにく）売切れて刻み許りだと申すと、其女は偉い勢にて隠すと打殺すぞと云ひながら棒を以て私の腰を突きたり」

・米穀乾物商（雑穀、砂糖、乾物類など約２５０円分を略奪された）

「赤の三角旗を押立て何れも労働者風の者約20人、棍棒、竹槍、抜刀を持ちて押寄せたる」

「偉い元気の婆さんが一人赤旗を持って皆を指揮して居た」

鎌田ひさのは、武装した数十人の「決死隊」を引き連れて米屋などを襲い、強奪を行いました。彼女の供述には、男たちが酒ばかり持って行こうとするので「私はそれでは人助けにならぬ、味噌、醤油、酒、塩を持って行ってはどうかと注意した」とあります。

商店を襲った一団のリーダーが女性であったことは人目を引きました。9月10日、憲兵隊が山口正憲ら数十名を逮捕しますが、彼らは当初、人々が目撃していた女性リーダーを山口正憲の妻・若菜と思い込んで取り調べました。しかし、若菜は助産師で傷病者の看護に専念していましたし、風体も違いました。

鎌田ひさのが逮捕されたのは地震発生から2カ月後の11月13日です。福島県の実姉方に潜伏していたところを逮捕されたのでした（時事新報１９２３年11月14日付）。

鎌田は、震災が起こるまでは山口正憲や立憲労働党とは全く無縁でした。国民新聞には「真金町遊廓の鴇母（やりて）鎌田ひさの」（同年11月17日付）とあります。「やりて」は普通、「遣り手」と書きます。娼妓（しょうぎ）たちの教育や監督に当たり、切り盛りする中年の女性のことです。ほとんどの場合、かつては本人も娼妓だった女性です。鎌田ひさのはおそらく、遊廓で暮らした経験も長く、その生活を熟知した有能な人物だったと思われます。

公判の事実審問で彼女は、「震災当日、真金町の某貸座敷に雇われる目見得（めみえ）の最中潰され、中村町平楽の原までにげた」と述べています（東京日日新聞1924年5月28日付）。

「目見得（めみえ）」は、新たに雇われる人が新しい奉公先に挨拶に行くことです。「目見得の最中に潰された」とは、新しい奉公先に挨拶に赴いていたときに、地震が起きてその建物が倒壊したという意味でしょう。

鎌田ひさのがいた横浜遊廓（眞金町、永楽町）は、震災で甚大な被害を受けました。敷地2万坪の一帯に貸座敷が83軒、娼妓が約1000名、芸妓が50余名、貸座敷の雇人が約700名という大きな遊廓でしたが、地震によってほぼすべての建物が倒壊し、焼失しました。

地域人口4150名のうち、死者が450名。楼主9名と娼妓220名、遣り手をはじめ貸座敷の雇人124名が亡くなっています（『横浜市震災誌第2冊』119頁）。

そうしたなかで、鎌田ひさのは九死に一生を得て中村川を渡り、丘を上って平楽の原まで避難してきました。そして翌朝、あの山口の演説を聞いたのです。それは彼女の心を揺さぶりました。

「沢山の人が困っているから米や塩を焼けぬ方面から貰って来て之を助けようではないか、と云ふ人助けの演説をして居るのを聞き、私も人助けをしたい一心にて同人の許に働く事になりたる」

（予審供述書）

こうして鎌田は、横浜震災救護団に参加します。社会の底辺で生きてきた彼女の思いは、主観的には避難民の救済・救護に尽力したいというものだったはずです。

公判での瀧川検事の論告は、被告等が避難民救済、救護に尽力したことは評価できるが手段を誤った、略奪によって人々を苦しめただけでなく、その後、略奪団を輩出させ、「掠奪（りゃくだつ）の範囲は広汎に亘（わた）って遂に驚くべき悪影響を一般に与えた」と指摘しています。

しかし判決は略奪の実行者に重く、一方で首謀者の山口正憲には執行猶予が付くというものでした（懲役2年、執行猶予3年）。鎌田ひさのには懲役2年6月の実刑判決が下ります。せめて山口らと共に等しく「義賊」とされたのであれば、彼女の思いも晴れたことでしょう。

遊廓で暮らしてきた鎌田ひさのが救護団の決死隊に身を投じたのは、証言によれば「この際に、世のため人のために生きてみよう」という決意からでした。一審後、12人の中で彼女だけが控訴の申し立てを行います。実刑判決だったこともありますが、私はそこに、自分は決して悪いことはしていない——という彼女の強い思いを見るような気がします。

第3章

大川常吉署長──「美談」から事実へ

第1節　大川署長はどう語られてきたのか

前章まで、朝鮮人流言と虐殺の拡大に警察が関与してきたことを確認してきました。一方で、体を張って朝鮮人を守った警察署長もいたという話を聞いたことがあるかもしれません。当時はまだ横浜市外であった鶴見町[A]の鶴見警察分署の署長、大川常吉という人です。

長い間、忘れられていた大川署長の存在が広く知られるようになったのは、1990年代のことです。

例えば、ベストセラーとなった『教科書が教えない歴史[B]』には、「朝鮮人を殺せ」と叫んで警察署を包囲する「群衆の前に大手を広げて立ちふさがり」、「朝鮮人を殺す前にまずこの大川を殺せ」と「大声で一喝」する大川署長の姿が描かれています。さらには「朝鮮人が毒を投入した井戸の水をもってこい」と言って、「実際にその場で井戸水を一升も飲み干し」たりします。

こうした英雄的なエピソードは、同書以外でもしばしば出てきます。まるでドラマのように劇的な場面ですが、どこまで本当なのでしょうか。

実は、こうした話には、戦後になって脚色、あるいは創作された部分が多いのです。

暴徒の前で手を広げて立ちふさがったとか、井戸水を飲んで見せると言って追い返したというエピソードはもともと、神奈川県警察本部『神奈川県警察史・上巻』(1970年)と門司亮『わが人生[C]』という戦後に書かれた本に出てくるものです。震災当時の資料には、

▼A　現在の横浜市鶴見区

▼B　藤岡信勝、自由主義史観研究会：扶桑社、1996年　126～128頁

▼C　「わが人生」出版実行委員会、1980年

そのような記録はありません。この二つの資料を検討すると、事実を伝えるというより、朝鮮人を守った大川署長を称えるために書かれたものであることが分かります。

『神奈川県警察史・上巻』は、震災3年後の1926年に刊行された神奈川県警察部『大正大震火災誌』▼Dが『震災美談』▼Eから引用した内容を脚色、改変しています。

例えば、『震災美談』には、朝鮮人を引き渡せと迫る群衆に対して「此の大川から先に片付けた上にしろ、われわれ署員の腕の続く限りは一人だって君達の手に渡さないぞ」という強い態度を示して群衆の動きを阻止したことや、その後もなかなか解散しない群衆に対して、大川署長が一人でも朝鮮人が警察署から逃走することがあれば「割腹して申し訳をする」と約束して、やっと「ぞろぞろ引き上げて行った」と書いてあります。

ところが戦後に出た『神奈川県警察史・上巻』では、大川署長の「われわれ署員の腕の続く限りは…」の部分をカットし、「朝鮮人を殺す前に先ずこの大川を殺せ」と「群衆の前に大手をひろげて立ちふさがった」と書き換えます。そして、「この大川署長の態度に猛りたっていた群衆も威圧されてようやく鳴りをひそめた」という情景描写を加筆しました。つまり、大川署長は千人の群衆に一人対峙し、「先ずこの大川を殺せ」と叫んだことになり、無条件に自分の命を差し出す勇気ある行動によって、群衆がひるみ解散したという、お芝居のヒーローのような話になったのです。こうして、原資料とは違う状況を伝えるものとなりました。

「井戸水を持ってこい」と叫んで群衆を解散させたという話は、門司亮の自叙伝『わが人生』に出ています。目撃談のように書かれていますが、実際には目撃談ではありません。なぜなら、警察署が群衆に包囲された9月3日は、門司は鶴見にいなかったことが、

▼D 以下、『震火災誌』
▼E 中島司、1924年

同書によって分かるからです。「井戸水を持って来い、飲んでやる」と言って朝鮮人を守ったという話は、一般的によく流布されている話の一つです。しかし、大川署長について書かれた同時代の資料や直接体験を記した一次資料には「井戸水を持って来い」という内容のものはありません。

門司は、様々な伝聞を大川署長の行動と混同して書いたものと思われます。鶴見（潮田町）の浅野造船所の争議をはじめ横浜で労働運動に奔走した門司が、流言と迫害のなかで奮闘した大川署長のことをどうしても書き残しておきたいと思ったのでしょう。大川署長を英雄的に描くエピソードは興味深く、感動する人もいるかもしれません。しかし当時の現実を知れば、およそリアリティのある話とは思えません。また、大川署長はこうした大向こうをうならせるようなパフォーマンスとは無縁の人物でした。

では実際には、鶴見で何が起きたのか。大川署長の実像はどのようなものなのか。私はその事実を知ろうと、当時の一次資料を探し、丁寧に読むことを心がけてきました。

大川署長について伝える同時代の資料、一次資料には、次のようなものがあります。

まずは『震火災誌』や『神奈川県下の大震火災と警察』▼A です。警察部の記録ですが、鶴見分署の報告に朝鮮人保護の経過が記されています。そして、鶴見の朝鮮人保護収容を示す神奈川県当局の報告やいくつかの公文書もあります。

また先述の『震災美談』があります。これは、震災時に日本人が朝鮮人のために、あるいは朝鮮人が日本人のために「任侠義勇の精神と行為を発揮した」71の事例を収録したもので、非売品として官憲関係者に配布されたようです。出版地は「京城（けいじょう）（ソウル）」となっており、著者の中島司は朝鮮総督府の関係者とみられます。この本は巻頭で、朝

震災当時の東海道はいまも同じ場所にある。写真右側に渡邊医院があった

▼A 西坂勝人 1926年

鮮人虐殺について「一切を水に流してしまうより外、悔やんでも詮ないことである」と書いています。その一方で、「内鮮融和促進の上に些少なりとも益することを得る」ために出版したともあります。要するに、朝鮮人虐殺の衝撃が朝鮮に及ぶことを恐れ、それを打ち消して「内鮮融和」を促進するために「震災美談」を集めたのです。したがって、そうした問題点を踏まえた上でその内容を扱う必要があります。

しかし、そこに記述されている細かい事実経過には、一定の信憑性があります。同書には、ここに収めたのは「昨年（１９２３年）の初冬から今年（２４年）の早春にかけて、震災地方を行脚し探訪踏査の上蒐（あつ）めたる資料」であり、「各地官憲より多大の示教と便宜を蒙った」とあります。つまり大川署長についての記述は、神奈川県警察部や大川署長から直接取材した上で書かれたものなのです。物語風の大げさな表現が使われているとは言え、記述にリアリティがあります。同年に神奈川県警察部が刊行した『震火災誌』がこれをそのまま引用していることは、それを裏付けています。

大川署長の行動を伝える一次資料としては、当時の鶴見町の人びとが残した記録もあります。

一つは医師で町議の渡邊歌郎の回想記『感要漫録』▼Bで、１９４４年、渡邊が喜寿の年にまとめたものです。私が大川署長のことを調べようと思ったのは、２００５年にこの回想記が発見されたとの記事を読んだことがきっかけでした。▼C

渡邊は１８６８年に茨城県の医師の家に生まれました。医師免許を取得後、鶴見の医者の娘と結婚し、妻の父が営む医院を継ぐ形で１９０７年に鶴見の仲町に「渡邊医院」を開業します。学校医も務めるなど、医師として成功し、ついには町会議員になりま

▼B 横浜市史資料室蔵
▼C 毎日新聞、同年7月3日付

旧鶴見署の跡地に建つマンション。現在の鶴見署から300メートルほど西にあり、目の前を通る第一京浜（国道15号）は震災当時「新国道」と呼ばれた

した。震災当時は55歳です。

もう一つは、やはり町議の佐久間権蔵が書き残した『佐久間権蔵日記』[A]です。佐久間家は江戸時代を通じて鶴見村の名主であり、当主は代々「佐久間権蔵」を名乗りました。『日記』を残した16代佐久間権蔵は1861年生まれで、震災時は62歳。鶴見町の地域組織を束ねる「鶴見会」会長であり、町の最有力者です。若い頃は東京で自由民権運動に共鳴し、立憲改進党にも入党しました。家業では、鶴見に進出してくる会社・工場向けの借地・借家の他、味噌の醸造を手掛けていました。この二人の町議が残した記録のなかには、当時の鶴見で起きたことが当事者の目で記録されています。

これらの資料を通じて、私たちは鶴見町で実際に起きたこと、その中での大川署長の言動を知ることができます。ここからは、資料から読み取ったことを中心に、9月1日以降に鶴見町で起きたことを見ていきましょう。

第2節　地震直後の鶴見

9月1日――地震の被害は軽微だった鶴見町

当時の鶴見町は「神奈川県橘樹(たちばな)郡鶴見町」であり、横浜市ではありませんでした。現在の横浜市鶴見区の中央を流れる鶴見川の西岸に当たり、生麦、鶴見、東寺尾が合併した生見尾(うみお)村が1921(大正10)年に鶴見町になりました。

東海道沿いの農村でしたが、横浜開港以降は都市化が進み、東海道線と京浜電車の鶴見駅も開設されます。1909年には曹洞宗総本山総持寺が石川県から移転し、

▼A　横浜開港資料館蔵、以下『日記』

1914年には、「東洋一」と言われた大規模遊園地「花月園」も開園しました。
鶴見川東岸では、町田村が潮田（うしおだ）町となります。1923年4月、関東大震災の直前でした。沿岸部の埋め立てが進み、大正期には浅野造船や旭硝子などの大工場が建ち、「常に一千名近くの職工を使役し居れるが故に潮田町は実に職工の町として繁栄」していました。▼B
臨海工業地帯が形成されたこの時期、鶴見町は商業地や宅地として、潮田町は工業地として発展するとともに、両町の一体化が深まり、震災後の1925年に合併して新しい鶴見町となります。▼C
大川常吉が署長を務める鶴見警察分署の管轄は、鶴見町、潮田町、旭村でした。合計で戸数9065戸、人口3万7288人。分署の幹部は署長以下、警部補1人、巡査部長2人の計4人。内勤の巡査が13人、派出所・駐在所等の巡査が13人、総勢30人の小さな警察署でした。▼D 設立されたのは1921年で、そのとき、鶴見川にかかる潮見橋に面した新国道沿いの新築庁舎に移りました。これは現在の鶴見警察署とは場所は異なります。大川常吉がこの分署に第二代署長として赴任したのは、震災の前年、1922年4月のことです。
大川は1877年に東京・浅草の植木職人の家に生まれ、八王子の巡査から始まって横須賀署、伊勢佐木町署と勤務してきました。巡査から地道に仕事を重ねて署長になった人で、エリートではありません。震災当時は46歳でした。
1923年9月1日午前11時58分、鶴見町も大きな揺れに襲われます。そのときの様子を、渡邊歌郎の『感要漫録』は次のように書いています。

▼B 横浜市に編入されるのは1927年）
▼C 現在の国道15号線
▼D 『震火災誌』295頁

「突然震動あり。アッ、地震だなと思ふ瞬間、益々動揺劇しくなって、表玄関より慌てて飛び出すと同時に鉄柵の石垣が崩壊、夫(そ)れと同時に花崗(みかげ)石の門柱は倒れ、一種すさまじい異様の物音あり」

「前の山城屋と平澤とは家屋倒壊、殊に山城屋は倒れた家の中より父留次郎と其孫の二人の三人の屍体を引き出すの惨状、又、本院の北隣り塩田旅館の二階が倒れて、本院の四畳半に突込み来り、其余波を受けて本院の母屋も土台石約一尺五寸許りを捨てて移動し、為めに家は相当度に傾斜す」

もう一人の町議、佐久間権蔵は、ちょうどそのとき渡邊医院の前を歩いていました。政治的なライバルともいえる町議・平澤権次郎の県議出馬を断念させるため、やはり町議で有力者である中西重蔵宅で町議たちと集まって相談した帰りでした。

「見る間に家は傾き、門は倒れ、あびきうかん（阿鼻叫喚）の大惨害を演出せり…目前の渡邊殿の鉄柵石門は足下に倒れ、隣家旅館の塩田やも目前に倒壊す」（原文カナ）

『鶴見町誌』▼Aによれば、鶴見町では全壊・半壊した家屋が249軒。潮田町はもっと被害が大きく3077軒。死者数は鶴見町が5人に対して潮田町が38人です。

それでも、鶴見の被害は横浜市内に比べれば小さいものにとどまりました。幸い、火

▼A 鶴見町誌刊行会、1925年

災も起きませんでした。町行政も鶴見警察署も機能していました。
鶴見分署報告[B]によれば、大川署長は震災と同時に重要書類を署前の国道に搬出しています。その後は、米穀商から米を買い上げて臨時炊出場を設け、東海道筋に数カ所の休憩所、鶴見小学校と総持寺に仮泊所を設置しました。「青年団、在郷軍人団及消防組合等」が協力しました。ただ、被害が少なかったので「罹災者として実際に救護を要すべき者極めて少なく、町役場に於ける罹災者の救護は震災当日より六日間に亘る炊出し及配給米其の他町内有力者の寄附金等の分配にして、他府県より救護を受けたるものなし[C]」とも書かれています。

一方、鶴見は東京と横浜を結ぶ東海道沿いにあることから、横浜などの焼失地から多くの避難者が東京方面に向かって通過し、また多くの避難者を受け入れることにもなりました。鶴見町の青年団は9月1日に非常総動員を行い、東海道沿いに休憩所を設け、在郷軍人会や消防組員などとともに負傷者の手当や保護を行っています。

1日夜、余震が頻繁に起こるなかで、「海嘯（津波）来る」という流言が広がります。海に面した潮田町方面の人々は、津波を逃れるために高台にある総持寺を目指して避難し、大混乱となりました。結局、総持寺の境内で約6000人が夜を過ごします。青年団は避難者に食料を提供しました。『鶴見町誌』には「不安に満ちし一日夜明くるも余震尚壮(なおさか)んで失火を警(いまし)めて各部に警戒に従った」とあります。

そして翌2日、鶴見町にも朝鮮人暴動の流言が伝わってきます。

▼B『震火災誌』712〜717頁
▼C『震火災誌』717頁

9月2日——朝鮮人流言が伝わり迫害が始まる

朝鮮人暴動の流言が鶴見町に伝わったのは、9月2日昼頃です。『震火災誌』は「二日午前十一時頃より横濱（よこはま）方面より東京方面に向かって通行する避難民」から「不逞鮮人が強盗、強姦を敢行した」「井戸に毒薬を投じつつあり」「不逞鮮人三百余名団結して鶴見方面に襲来する」という流言が伝わったとしています。

渡邊歌郎は、「保土ヶ谷からの朝鮮人集団が子安に来襲したら半鐘で知らせる。半鐘が鳴ったら急いで婦女子を隠し、男は武装せよ」「上町では井戸に毒を投入した朝鮮人が捕らえられた」といった具体的で現実味を帯びた流言が広がっていったことを書き記しています。そして、朝鮮人への迫害が始まったことも書いています。

「人心次第に不安となり、随して朝鮮人を悪むこと甚だしく、見付け次第に大勢にて蹴る擲（な）ぐるの残酷を演じ、現に本院（注：渡邊医院のこと）わきを大勢の若者が一人の鮮人を捕へて裏の警察へ連れて行くを見たが、後方より打つやら蹴るやら、鮮人は頻りに何か哀訴するらしいが、元より言語は通ぜずし、唯之を押しとばしたり棍棒で衝くやらなぐるやらの噪（さわ）ぎ、余之を実見見れば、鮮人は已（すで）に右足の下腿に骨折しおりて歩行不能なりたるを認めたり」

渡邊の義弟は「猟の服装で猟銃を小脇にかかえ、腰にピストルの出で立ち」でやって来て、自衛用にとピストルを置いていきました。

佐久間権蔵も、「あやしきものと見れば勝手の行動に出るも不得已（やむをえざ）る事と当局も認

▼A 佐久間「日記」9月2日条

め」ているという噂を聞いた男たちが、「自衛の器」を手にしていると書いています。▼A「朝鮮人が来襲する・武装せよ・朝鮮人殺害差し支えなし」というメッセージを含む流言が、横浜市内から鶴見へ、確かに伝わっていたのです。

こうして在郷軍人会、青年会、消防組などの人びとが武装し始めます。『鶴見町誌』には、「人心の不安彌（いや）が上に増大し真偽を判たず、恰（あたか）も戦ひに臨むが如く、全町総動員の形をとり、哨線を立て警戒頗る厳重であった」とあります。「哨線を立て」とは、各地で自警団が検問を行ったさまを指すのでしょう。

このとき、総持寺境内には「二百余名」の朝鮮人がいました。1日の夜、津波を恐れて約6000人が避難していた総持寺ですが、2日にはほとんどの人が自宅に戻りました。しかし流言が広がるなか、朝鮮人たちは途中で暴行に遇うなどの危険のため、帰るに帰れなくなっていたのです。

京浜工業地帯の形成期であった川崎、鶴見には、すでに多くの朝鮮人が居住していたと言われていますが、正確な数は不明です。「鶴見に居住せる朝鮮人は潮田・鶴見を中心に約三百人に達し、土工部屋と国道事務所所属の土工部屋に寄寓し」▼Bという記述もあります。「土工」とは土木や建設の作業員のことで、「土工部屋」とは雇用主の用意した宿舎のことです。

『鶴見町誌』120頁には、鶴見・潮田に暮らす朝鮮人の統計（1924年）があります。それによれば、その職業は「土工」（土木や建設の作業員）が429人、無職が20人。「一戸を構へ居住する者」は25戸（男性が87人、女性が39人の計126人）。「一戸を構へざる者」、つまり「土工部屋」に身を寄せている人が255人、「其他」が102人で、その全員が男

▼B『神奈川県史通史編5近現代史2』244頁

性でした。

後に鶴見署から横浜港の華山丸に収容され、さらに横須賀不入斗（いりやまず）の陸軍練兵場に送られた朝鮮人37人の記録を見ると、単身者が34人、家族が一組で3人、職業は「土工」32人、「職工」2人、沖仲士が1人、無職が2人です。37人のうち24人は、来日して1年未満でした。▼A
これらの資料から、朝鮮人の大半は単身の出稼ぎ労働者で、年齢は20〜30代前半の男性、職業は「土工」であったことが分かります。日本人住民とは接することの少ない日常生活を送っていたと思われます。

朝鮮人流言が広がって町が騒然となり、人びとが武装し始めているとき、鶴見警察署は何をしていたのでしょうか。

『震火災誌』にある鶴見署の報告によれば、大川署長と署幹部は「間断なく部内を巡視」し、「特に自警団の行動に対しては厳重監視し、日本刀を携帯して不穏の挙動有るものに対しては之を領置（取り上げること）」しています。それによって「自警団と交々衝突」したともあります。自警団の武装をとがめたのです。これは、横浜市内の他の警察署ではなかったことでした。ただし、証言や記録をみると、鶴見でも人々は公然と武装し検問を行っていますから、この報告が言う「厳重監視」「日本刀領置」も、どれだけの効果があったのか疑問です。

鶴見署は朝鮮人を保護し、町民との衝突、町民による暴行・迫害を防ごうと行動し始めます。

その第一は警察署内への収容保護です。それは2日から行われています。流言を信

▼A 「海軍・横須賀収容者名簿」『関東大震災政府陸海軍関係史料Ⅲ巻海軍資料』日本経済評論社、1997年

じた町民は、鶴見署の朝鮮人保護に疑問や反感を感じたようです。渡邊歌郎は、警察官が一団の朝鮮人を警察署に連行するのを目撃し、朝鮮人反乱が事実なら警察は率先して処理すべきなのに保護するとは割り切れないと述べています。

収容保護したのは朝鮮人と中国人です。

朝鮮人だけでなく、中国人も迫害を受けていました。警察資料は、保護収容した中国人について「支那人（旅行中のもの）七十余名」▼B、あるいは「支那人（通行中のもの）七十余名」▼Cと表記しています。「旅行中、通行中」とは、鶴見に居住しているのではなく、避難の途上であったという意味です。中国人は横浜にいた労働者で、東京の大島町や三河島から働きに来ていた人々です。彼等は東京を目指して避難する途中だったのです。

一方、朝鮮人については「旅行中のもの」といった但し書きはありません。それは彼らが鶴見、潮田に居住する者だったことを意味しています。大部分は、鶴見・潮田の埋め立てや建設工事で働く労働者でした。

鶴見署が行ったことの第二は、総持寺に避難した朝鮮人約２００人の保護です。鶴見署は当初、総持寺をそのまま署内収容前の一時収容地として、巡査を派遣して朝鮮人の保護警戒に当たりました。

第三は、朝鮮人労働者の雇用主たちに「監守（保護、監督）」を依頼したことです。

『語りつぐ関東大震災――横浜市民84人の証言』▼D、『鶴見の古老が語る百話』▼Eに、川畑孝蔵という人の証言があります。整理すると次のようになります。

川畑は震災当時23歳、鹿児島から一人で出てきて鶴見のカスケードビール工場で働いていました。川畑の親方のところには朝鮮人労働者20余人がいました。大部分が独

▼B　『震火災誌』３９６頁

▼C　『神奈川県下の大震火災と警察』２５９頁

▼D　横浜市総務局、１９９０年

▼E　古老が語る鶴見の百話刊行委員会・編集発行、１９９１年

り者で、皆、宿舎に住んでいました。「朝鮮人が襲われるから、全員避難させるように」と、鶴見の警察署長から親方に指示がありました」とあります。親方は裏の納屋に朝鮮人をかくまいました。しかし、夜になると殺気だった連中が人数を増やして押しかけて来ます。親方の指示で川畑は朝鮮人をはしけに乗せて鶴見川を下り、扇島に避難させます。他の若い4人と見張りをし、4日になって鶴見警察署に保護を願い出ました。

ここから分かるのは、大川署長が朝鮮人労働者を抱えた親方たちと連絡を取り合い、その保護にあたっていたということです。「鶴見は流言蜚語への対応が早かったから、朝鮮人は助かりました」と川畑は述べています。

ちなみに、親方たちが朝鮮人を守るために行動したことを示す記録は『震火災誌』と『震災美談』にもいくつか出てきます。

たとえば土木請負師の松尾嘉右衛門と渡邊三三の二人は、9月2日の午後4時半頃、総持寺の境内で朝鮮人労働者の朴道元ら19人を助けています。朴らが取り囲まれ、群衆が「将(まさ)に危害を加へんとする」ところを、「身を挺して之を説破するに努力」し、さらに「町民の反感をも顧みずして」その朝鮮人たちに「米5俵」を提供したというのです。

この記録から読み取れることは何でしょうか。松尾と渡邊は、潮田町の土木請負師です。日常的に朝鮮人たちと接しており、朝鮮人が暴動を起こしたといった流言を信じることはできなかったでしょう。彼らにとって朝鮮人労働者は仕事上欠かせない人びとであっただけでなく、当たり前に「人間」でした。だから、彼らが迫害を受けているのを黙って見過ごすことはできなかったのです。

また、「朴道元」と名前が出てくるのは、それが松尾と渡邊がよく見知っている朝鮮人だったことを示しています。二人が総持寺まで出かけたのは、そもそも避難している朝鮮人労働者たちの安否を確かめ、米などを提供するためだったのではないでしょうか。そして行ってみると、そこで朴らを取り囲む群衆がいたわけです。この時、松尾は「朝鮮人をやるなら、俺を先にやれ」と啖呵を切ったと伝えられています。

当時の土木請負師の多くは博徒でもあり、親分子分という任侠の人間関係を結んでいました。松尾も何人もの子分を持つ「松尾組」の親分でした。渡邊も中田組の幹部です。啖呵を切って人びとを追い払うだけの力があったのでしょう。

他にも、潮田橋で多数の自警団に暴行されそうになっていた朝鮮人2人を助けた親方や、遊園地「花月園」の前で殴られていた「通称金川なる鮮人」を助け出した親方の話があります。いずれも『震火災誌』に出てくる記録です。

町の人の多くが朝鮮人流言を信じて彼らを迫害しているとき、松尾や渡邊といった土木請負師たちは、それに与することなく行動していたのです。これらの人びとの存在は、大川署長の朝鮮人「保護収容」を地域で支えるものだったと思います。

ところで、『震火災誌』の鶴見署の報告には、朝鮮人負傷者約30人の治療を、町内の真田病院に無料で依頼したとあります。当時、真田病院の真田祐太郎院長は、「病院を開放して患者を収容し、罹災者の救護施療に従事し、患者と生死を倶にする覚悟を以て、病院以外一歩も出でず泰然自若として患者を救護」していました。▼A

この記録は、大川署長の姿勢や真田院長の献身を伝えるだけでなく、多くの朝鮮人が負傷していた事実を物語っています。鶴見署が収容した朝鮮人は約300人ですから、その約1割が暴行を受けて負傷していたことになるのです。当時の鶴見町での朝鮮人

▼A 藤田兼吉『鶴見興隆誌』、1930年

迫害の激しさが分かります。

3日未明、東京からの帰りに立ち寄った県警察部の西坂勝人課長は、鶴見署に朝鮮人が保護されているのを見ています。

「署長は新国道の中央に卓子椅子（注：テーブルとイス）を揃へて事務を執って居たが、警察署は真暗である。理由を聞けば鮮人多数を収容したが、住民の軽挙をおもんぱかり、燈火を滅して置いたのだと云ふことであった。而して道路上の警察仮事務所附近には、多数の鮮人が保護されて寝て居った」▼A

9月3日――包囲される警察署

3日に入ると、朝鮮人、中国人への迫害はますます激しくなってきました。朝鮮人は危険だ、一刻も早く鶴見から追い出せという町民の声が高まります。

渡邊歌郎は、前日の夜には潮見橋の方向から「ピリピリー呼子の笛と同時にパンパンと盛んに発砲、又、ワーワーッと喚声」がするのを聞いています。翌3日朝、渡邊は、その音が大勢の青年団に追われた朝鮮人が鶴見川に飛び込んだ際の騒ぎだと知りました。「今や鮮人は民衆一般より憎悪の焦点となり吾々の不安となり、恐怖の主動源」となったと、彼は書いています。

朝鮮人を保護する鶴見署への反感も高まります。焼き打ちでもしかねない形勢も現れてきました。

総持寺も安全ではありませんでした。大川署長の長岡知事官房主事宛ての文書には、総持寺側には新井管長、伊藤副監らの高級役僧が不在で、境内の朝鮮人を救助するこ

▼A 『神奈川県下の大震火災と警察』206頁

▼B 「鮮人保護に対する投書の件回答」1924年3月18日付：『大正十二年震災功績書』神奈川県公文書館蔵

となく「市民と同様鮮人を恐れ他に放逐せむとせる」とあります。▼B

大川署長は総持寺での収容は危険と判断し、鶴見署に移すことを決意しました。しかし、朝鮮人追放の要求を下手に拒むと危険だと考え、いったんは追放の要求を受け入れます。▼C そして、遠方へ送り出すことにするので「兎に角総持寺から警察署まで連れ来り、その上で適当に放逐の手段を講ずる」と答え、「人々の感情を一時和らげ」ました。次に巡査部長1人、巡査7人を押送部隊にして、在郷軍人会と青年団に朝鮮人移送の援護を求め、総持寺から鶴見署までの朝鮮人移送を成功させます。

総持寺の朝鮮人を鶴見署に移すことには成功しましたが、ついてきた群衆が署の構内に居すわり、怖ろしい剣幕で、早く町から追放せよ、一刻も早く放逐せよと叫びます。『震火災誌』の鶴見署の報告には「一部の人士は早くも警察非難の声を放ち鮮人を優遇するは売国行為なりとの下に同署を襲撃し、放火すべし等のことを耳にしたり」とあります。また、「群衆一千余名」が「警察署を包囲」したとも記しています。

警察は説得に努めますが、群衆は鶴見署を襲う気勢を示し、朝鮮人の保護どころか「署も署員も危機に瀕し」ます。鶴見署の警察官は派出所の巡査を合せても総勢30人で、武器はサーベル(剣)しかありません。

先に紹介した『震災美談』には、群衆の前に立つ大川署長が、「今は是非もない。鮮人に手を下すなら下して見よ。憚りながら大川常吉が引き受ける。此の大川から先に片付けた上にしろ、われわれ署員の腕の続く限りは、一人だって君達の手に渡さないぞ」と大声叱呼して制したという話がでてきます。

「われわれ署員の腕の続く限りは」とは、サーベルを振るってでも、という意味です。す

▼C『震災美談』

ると群衆から「一人でも脱出した時はどうして呉れるか」という声が上がります。大川署長は「若し一人でも此処から逃走した者があったら、我輩潔く君等の前で割腹して申し訳をする」と答え、群衆も一応納得して、ぞろぞろ引き上げたというのです。

このように、『震火災誌』や『震災美談』は、1000人を超える群衆が警察署を取り囲み、大川署長がそれを「大声叱呼」して抑えたというエピソードを語っています。ところが、渡邊歌郎の『感要漫録』や佐久間権蔵の『日記』は、この鶴見署包囲について一行も触れていません。

今後も検討されるべきことですが、現時点では、私は群衆が鶴見署を取り囲んだこと自体は事実だったと考えます。渡邊や佐久間が包囲について触れていないのは、彼らが談判や町会など自らが関わったできごとを書いているのに対して、警察は大川署長と鶴見署が押しかけた群衆から朝鮮人を守ったことを強調したいという、それぞれの都合や資料の性格、視点や認識の違いから来ているのではないかと思います。

もちろん「一千余名」という規模は疑わしいと思います。また群衆の中心は総持寺からの移送を担当した在郷軍人会、青年団です。有力者らの統制下にありますから、暴走する可能性は大きくはありませんでした。

また『震火災誌』には、この包囲への対応として「部内有力者四名を署長室に招致」し、朝鮮人の警察署保護について説得したが容易に応じなかったとあります。

このことは佐久間の『日記』にも出てきますが、その内容や経過についての記述は異なります。『日記』から分かるのは、町の有力者たちが3日に大川署長に談判して朝鮮人放逐を強請(きょうせい)し、いったんは承服させたということです。

鶴見署に談判に行ったのは佐久間権蔵、中西重蔵、平澤権次郎の3人の町議でした。佐久間についてはすでに紹介しました。鶴見町の名主の家系で「鶴見会」会長、町の最有力者です。

中西重蔵は、弟とともに中西醸造会社を立ち上げ、鶴見町第一の資産家と言われていました。2年後には潮田町と合併した新しい鶴見町の最初の町長になり、その2年後に横浜市への編入を実現します。1866年生まれ、震災当時は57歳です。

平澤権次郎は、1907年に鶴見町に来た移住者ですが、1912年に鶴見在郷軍人会が設立されるとその中心メンバーとなり、新しい勢力のリーダーとして鶴見町議選ではトップ当選を果たします。1874年生まれ、当時は49歳で佐久間より13歳年下です。従来の有力者である佐久間、中西との間には確執がありました。

『震火災誌』に「部内有力者四名」とあるのは、この三人に途中から加わった潮田町の小野重行(衆議院議員)を入れたものでしょう。小野は潮田町の有力者で、当時は42歳です。佐久間の『日記』によれば、小野の意見は「放逐」ではなく警察署保護を続けるべきだというものでした。

『震火災誌』は、彼らを警察署を包囲していた群衆の代表のように描いていますが、その名前と背景を確かめれば、町を代表する有力者たちだったことが分かります。彼らのような有力者の同意や承認がなければ、鶴見の政治、地域社会の意思決定はできません。『震火災誌』が「部内有力者四名」として氏名を伏せたのは、佐久間たちがその後も鶴見町政を動かす人物であることを考慮したからだと思います。さらに言えば、『震火災誌』が大川署長の朝鮮人・中国人保護を取り上げながらも、これからお話しする町会での町議らとの対立や、その経過には触れず、警察署を取り囲んだ群衆とのやり取りを中心にしたのも、同じ理由からだったと考えます。

佐久間が書き残した記述を読むと、彼の考えが決してこれらの群衆と同じではなかったことが分かります。『日記』に記された主張は、次のようなものです。

「当地工場に居る鮮人は温良なりと雖も、何時内地人（注：日本人）即ち町の人々と衝突するやも難計、人びとの頭中には京浜にて鮮人の暴動が極度に悩（注：脳？）を刺撃しおれば、此の際は是非200余人の鮮人は本郡以外の東京方面に送り出してくれ」

彼が恐れていたのは、流言に煽られた町民が警察署を襲って朝鮮人と衝突することでした。鶴見署で保護されている朝鮮人たちが危険な存在だとは思っていません。彼は朝鮮人暴動の流言については判断を留保していたのです。「果して鮮人が如上の悪事をなすのか否や的確の証なし」と書いています。

朝鮮人保護を貫く大川と退去を迫る佐久間の判断は対立していますが、その一方で、現状認識については一致していたのです。

大川署長は、佐久間らの要求に対して、「温良なる弱者（鮮人）を保護するは職責上当然にて、放逐せんとせば、川崎署と東京の警察に交渉を遂げざれば不可能なり」と反論しますが、佐久間らは、鶴見署の力では保護は難しいとして、「弱者を保護の為め、衝突の恐れある当地より退去させたし」とあらためて迫りました。

署内に収容された朝鮮人を鶴見から退去させることは、町民の安全だけでなく、朝鮮人の保護のためにも必要だというのです。警察力が充実している上に戒厳軍が警備している東京に移した方が、朝鮮人にとっても安全なはずだというのが、佐久間の考えでした。「町民の為め、鮮人の為め是非放逐を実行しくれ」と強く求めています。

町の有力者たちは強硬でした。彼らと決裂すれば町民をしずめることはできません。もし再び警察署が取り囲まれることがあれば、襲撃を止めることは難しい状況です。

大川署長は有力者たちの意見をいったん受け入れます。収容中の朝鮮人の親方5人を呼び、鶴見を一時退散するのが安全だと説得しました。親方たちはこれをしぶしぶ受け容れ、「千葉県の寒川に（注：労働者たちを）つれ行かん」と答えます。

大川署長は有力者たちに、朝鮮人の親方たちに説明したことを伝え、安全が確保できるように県当局とも相談して実行すると言います。町の有力者たちは「明日の臨時町会で朝鮮人の県外追放について決める」と言って帰りました。

9月4日——大川署長、「熱誠」を込めて訴える

9月4日午後、その「臨時町会」が演芸場の「鶴見館」を使って行われました。池谷庫之助町長はじめ十数人の町議たちは、「足袋裸足にて武装其のままのいで立ち」で現れました。渡邊歌郎も、町議としてこれに参加しました。彼の『感要漫録』には、町議たちと大川署長のやり取りが生々しく記されています。

町議たちは大川署長を厳しく追及しました。朝鮮人はいつ暴れ出すか分からない、とても危険だ。鶴見署はいつまで危険な朝鮮人を保護するのか。これでは町の人たち

は安心して暮らせない。鶴見署は、はやく朝鮮人を神奈川県から追い出すべきだ――というのです。

渡邊歌郎が記した町議の追及と大川署長の答弁を整理すると、次のようになります。

町議：大地震の上に、朝鮮人が反乱を起こしているという噂で、町じゅうが恐怖に包まれている。警察は朝鮮人を取り締まり厳しく処分すべきだ。それなのに鶴見署は、憎むべき朝鮮人たちを保護しているのは、どういうつもりだ。

大川：「朝鮮人が反乱をおこす」という噂は何の根拠もないデマだ。もし反乱を起こしたとしても何もできないのだから起こすはずがない。彼らは内地に仕事に来た労働者なのだ。

町議：危険な朝鮮人を警察署に保護することは、暴れるトラを不完全なオリに入れているようなものだ。いつオリを破って暴れ出すか、町民は不安に陥っている。早く県外へ追い出すべきだ。

大川：「朝鮮人が暴れる」ことは絶対ない。所持品検査をしたが、武器一つもっていない。おとなしく、おにぎり2個の食事にも感謝している。負傷者や子どももいる。危険な者ではない。同情すべき被災者なのだ。

町議：鶴見署の警官は30人にすぎない。朝鮮人が暴れ出したら、とても鎮圧できない。このまま警察署に収容しておくことは無理だ。戒厳令の敷かれている東京なら軍隊の警備もある。鶴見の町民にとっても、朝鮮人の安全にとっても、その方がいいはずだ。

大川：「県外に追いだせ」というが、警察から出せばすぐに虐殺されてしまう。まもなく戒厳令も敷かれ、軍隊もくる見通しだ。彼らを保護することは、私の絶対的な責任である。鶴見署はあくまでも彼らを保護する。今後収容する人数が何人増えても、この方針は変わらない。

『感要漫録』は、次のような大川署長の言葉を書きとめています。

「鮮人の反乱事件は何かの理由に依り発生した全く根もなき流言蜚語と断定いたします」

「一度警察の手を離れればたちまち全部が虐殺されて仕舞います」

「彼等とて同じ国民故、之を保護するは私の絶対的責任であります」

「議員諸君は、根もなき流言に惑わさるる事なき私の説明を信じ下さって、民心の安定する様最善の御協力を衷心よりお願い致します」

佐久間たちを説得し、昨日の談判の結論を覆そうとするのですから、強い決意を示す必要がありました。佐久間の『日記』はその様子を、「大川署長、熱誠を込て陳ぜり」と記しています。

大川署長はこのとき、間もなく戒厳令が施行されて治安が回復するだろうという見通しも示しています。さらに、県当局も移送に反対であること、県は警察官増派を了解しており、いつでも警備の応援に駆けつけてくれることを報告し、巡査に十分監督させるので、当分の間は朝鮮人を署に収容することでこの問題の解決としてほしいとも述べました。

在郷軍人会のリーダーでもある町議・平澤権次郎が、巡査の監督は不十分ではないかと反論しますが、佐久間はその発言を制して次のように述べます。

自分は好き好んで朝鮮人の退去を言ったのではない。人心興奮の際、衝突が起ることを怖れたのである。署長が県と打ち合せの上で全責任を持って署に収容し、人心の動揺を防ぐことを必ず実行すると言うのであれば、これ以上、退去論は言わない。この問題はこれで解決したと考える――。

こうして、朝鮮人を収容保護するという大川署長の意見は町長と町議らによって了承されました。

「臨時町会」の描写は、渡邊の『感要漫録』と佐久間権蔵の『日記』では少し異なります。それは朝鮮人退去に対する二人の視点が異なっていたからでしょう。渡邊は署内の朝鮮人を危険な存在と考え、彼らが暴れ出すことを心配していました。一方、佐久間が心配しているのは興奮した町民が朝鮮人と衝突することでした。

この日の午前中、大川署長は県当局と打ち合わせしていました。そしてその際に、県による警備支援について保証を得ています。佐久間はこれを聞いて、町民の興奮を静める見通しが立ったと判断したのです。地域の指導者として、県当局の判断に逆らって行動はできないという思いもあったでしょうし、現実に多数の朝鮮人を移送することの危険や困難にも、すでに気づいていたことと思います。

こうして意見の一致を確認した大川署長は、「臨時町会」の終わりに次のように町議たちに語りかけます。

「之を以て本員の説明を終りと致しますが、本会がおわりましたら、是非一回来署せられて彼等の行動を御実見下さい」▼A

鶴見署に来て、実際の朝鮮人たちの姿を見てほしいというのです。町議たちはこれに従い、署を訪ねます。

渡邊は、そこで見たことをこう記しています。

「(朝鮮人は)其数約三百人程度にして、内に頭部に繃帯(ほうたい)せるもの、手を頸(くび)より釣りし者、足の骨が折れて副木せし者など相当の負傷者あり。今や稗飯の握飯二個宛の給与に預かり、嬉々として感謝しおる哀れな姿を眺むる」

日本人の暴行によるケガですが、「包帯」や「副木」といった記述からいずれも治療を受けていることが分かります。『震火災誌』にある大川署長の報告書に、朝鮮人負傷者約30名の無償治療を真田病院に依頼したとあることはすでに触れました。

渡邊は、デマを信じて朝鮮人を危険な目に遭わせ、町民もまた恐怖と不安の夜を明かしたことは、「実にその愚かさを恥ずべきである」と思い至りました。

「心情初めて清朗となり、誰が発せし流言か正に根もなきデマに相違なしとすれば、

▼A『感要漫録』

何の縁由もない彼等鮮人をして身命に及ぶ危険に追込み、又当方民衆も仮令一時的にせよ、恐怖に陥り不安の二夜を徹せし愁嘆は、実に其愚かさを恥つべきなり▼A」

9月5日以降——流言と迫害を取り締まる鶴見町

こうして朝鮮人約300人、中国人約70人の収容保護が町の有力者たちに一致して承認されたことで、これ以降、鶴見町は事態の収拾に向けて急速に動き始めます。

9月5日、平澤権次郎の提案によって町議、消防組、青年団、在郷軍人会が鶴見館で集会を開き、町長を団長とする鶴見全町自警団を結成します。すでに触れたように、平澤は鶴見の在郷軍人会の中心メンバーでした(翌年3月には帝国在郷軍人会から表彰されています)。

9月2日以降、朝鮮人の警戒や夜警にあたったのは、在郷軍人会、青年団、消防組、地域の有志集団でした。しかし、それらを統括する組織は存在しませんでした。佐久間は、興奮した町民が朝鮮人と衝突することを心配していました。朝鮮人の警察署収容が承認された今、町民の暴走を防ぐためには、武器を持った集団を一つにまとめ、町長、町議たち有力者の下に統制することが必要でした。

平澤の案は、池谷町長を団長とする本部を置き、その下に支部、支部出張所を配するというものでした。出張所の主任は、各地域で選出します。こうした組織化は、その日のうちに実現しました。

佐久間権蔵の『日記』には、彼が鶴見上町を中心とした地域の自警団を結成したこ

▼A 『感要漫録』

とが書かれています。地域の有力者が集い、佐久間の指示のもとに自警団支部の支部長、鶴見上町、豊岡、別所、三角各地域の出張所主任の人選が行われました。

佐久間の『日記』にはまた、興味深い記述があります。自警団結成が決まった翌日、佐久間は地元の自警団出張所主任たちに対立があり、その「説諭」「調停」に時間を取られていました。そのため、この日も鶴見館で開かれていた集会は欠席したのですが、集会の内容については報告を受けており、それを日記に記しています。

この日の集会で問題になったのは、上町の長谷川の弟某が総持寺前で「不穏の大演説」をなし、町議の田辺豊次郎がこれに共鳴したことでした。町民の中から「かかる不謹慎の○○（判読不明）は町議辞任せしめん」という声が上がり、協議の結果、田辺は辞表を出すことになったというのです。

演説の内容や田辺町議辞表提出の詳しい経過は分かりませんが、町の雰囲気が震災直後とは変わってきたことが伝わってきます。「不穏な演説」や煽動に対して厳しく問い詰め、批判する動きが町民の間から出てきたということです。朝鮮人・中国人を警察署で保護することを町長・町議たちの集会で承認したことで、朝鮮人流言や迫害を煽る行為は許されなくなったのです。

鶴見町の雰囲気の変化を伝える記録が、他に二つあります。

一つは、鶴見署から流言蜚語犯▼Bが憲兵に引き渡されたという記録です。▼C引き渡されたのは慶応大学の学生で、憲兵で取り調べたところ、「鶴見青年会屯所に於て茶飲話の際、前夜夜警の際聞知したる鮮人の暗号を談話したるのみなりしを以て説諭を加へ放

▼B 勅令第403号違反

▼C 「神奈川方面警備部隊法務部日誌」9月10日

還したり」とあります。「鮮人の暗号」とは、朝鮮人が暴動のために暗号を書き記しているらしいといった流言を指しているのだと思われます。鶴見署は、他地域では見過ごされたであろうこの「茶飲話」を聞きとがめ、その学生を検挙して神奈川警備隊に送ったのです。鶴見署の厳しい取り締りに驚きますが、その背後に「不穏な言動」を許さない町民の動きがあったのではないかと考えます。

もう一つは、4日の朝に総持寺の前で起きた朝鮮人虐殺事件の犯人が逮捕され、起訴されたことです。

虐殺が多かったとされている神奈川県ですが、虐殺事件の犯人が逮捕、起訴されたのは、ほんのわずかです。司法省の「震災後に於ける刑事事犯及之に関聯する事項調査書」によれば、朝鮮人虐殺事件で起訴されたのは2件にすぎません。鶴見町の起訴は、そのうちの1件でした。

わずか1件という思いはしますが、虐殺が激しかった横浜市内では1件も起訴されていません。1件といえども犯人を逮捕、起訴することができたのは、鶴見町が4日以降、朝鮮人保護に動いたからではないでしょうか。

9月9日、戒厳軍が鶴見町に到着します。

神奈川警備隊の管区は横浜市、橘樹郡、久良岐郡、都築郡でしたが、部隊を配置できたのは横浜市と保土ヶ谷町のみでした。兵力不足で復旧作業にあたるべき工兵まで警備に回しています。『関東戒厳司令部詳報第二巻』によれば、8日に奥平司令官が増兵を求めて上申し、戒厳司令部がそれに応えて急遽、東京南部警備部隊にあった歩兵第三十六連隊第三大隊と、「将に来着せんとする歩兵第五連隊及第四、第十、第十六▼A

▼A 二大隊編成

師団派遣衛生機関」を横浜に輸送することを決定しています。

司令部を青木町・高島山に移した奥平司令官は、増派部隊を使って新たな部隊配置を行いました。

中地区[B]は歩兵第5連隊、騎兵一小隊。北地区[C]は歩兵第三十六連隊第三大隊、騎兵第十五連隊。南地区[D]は歩兵第五十七連隊、騎兵一小隊です。これにより工兵部隊は警備任務を解かれ、復旧活動に専念することになりました。

こうして鶴見方面には歩兵第三十六連隊と騎兵第十五連隊が配置されることになりました。軍隊の配置を要請し続けていた鶴見町に、ようやく軍隊が来ることになったのです。

8日午後、佐久間のもとに平澤権次郎が来て、騎兵二個中隊(約150人)が鶴見に来ることを告げます。

「予始め一同大安心せり。不逞鮮人云々は内地の不逞人どもの口実にて、不逞内地人のとりしまり大に必要なれば、一同安心の至りなり」

朝鮮人暴動の流言が虚報であったことは、8日の時点では多くの市民が知るところとなっていました。佐久間は「不逞内地人」の取り締まりが必要だと書いているのです。

翌日、東京南部から歩兵第三十六連隊[E]第三大隊の二個中隊が到着します。佐久間家は大隊本部となりました。大隊長で歩兵少佐の田実彦夫と将校3人、下士5人、兵士6人が宿泊します。佐久間は、鶴見神社入口などに歩哨が配置されたこと、鶴見館に約70人の兵士が寄宿したことなどを書いています。

騎兵第十五連隊は、総持寺大門の益田歯科医に本部を構えました。佐久間は10日、連隊長の丸尾大佐を訪ねて「挨拶をのべ厚く配慮を謝」しています。

▼B 横浜市北半部、神奈川及保土ヶ谷一帯

▼C 鶴見方面一帯

▼D 横浜市南半部、本牧及根岸方面一帯

▼E 福井県鯖江の連隊

同日、鶴見署に保護されていた朝鮮人約300人は横浜港に停泊中の華山丸に移されました。救援米を運んできた神戸の鈴木商店の汽船です。同様に、横浜市内の朝鮮人の多くも同船に移され、9月19日の時点で収容数は723人になりました。

こうして、朝鮮人流言と迫害、そしてそれへの対応に鶴見町が大きく揺れ動いた、緊張に満ちた時期は、一応の終わりを告げることとなりました。

第3節 「感謝状」をめぐって

1924年2月15日——朝鮮人労働者たちの「感謝状」

2006年8月31日、朝鮮人たちが大川署長に「感謝状」を贈っていたことが報じられます。大川署長について積極的に取材していた毎日新聞の網谷利一郎記者が、大川署長の孫に当たる大川豊氏が所有する「感謝状」の存在を報じたのです。

感謝状は、大きく立派な紙面に漢字まじりのハングルで、つまり朝鮮語で綴られています。それを収めた封筒の表書きには「鶴見警察署長　警部大川常吉殿」とあります。「市民」という言葉も使われている墨筆の文面から、朝鮮人労働者の中に立派な文章の

大川署長への感謝状が納められていた封筒

書ける知識人がいたことが分かります。漢文の書き下し文に近い文ですから、大川署長が朝鮮語を知らなくても十分意味が通じたでしょう。日付は「大正13年2月15日」、差出人は「鶴見潮田両町在住鮮人一同」、代表者8人の氏名があります。

ここからは、この感謝状から読み取れることを考えてみましょう。

先述したように、鶴見署や横浜市内の朝鮮人たちは華山丸に移されました。その後、彼らがそのまま神戸に送られたと書いてある本もありますが、事実ではありません。その大部分は雇主や親方によって引き取られて下船したり、朝鮮へ帰っています。

横須賀海軍工廠の労働のため226人が横須賀へ移送されていますが、これらの朝鮮人もまもなく横須賀収容所を離れ、内地での労働に戻り、あるいは朝鮮に帰っています。神奈川警備隊の『現況旬報』によると、10月初旬には135人の朝鮮人労働者が鶴見・潮

感謝状
鶴見警察署長
警部 大川常吉 殿
維時大正十二年九月一日関東地方에大震
火災襲來할時我等鮮人에対하야多数市
民은不逞行為가있다하야排斥하야穩치못한形勢
하얏사와此時에際하야大川鶴見警察署長
은泰然自若하야奮發挺身으로써야我
鶴見潮田両町在住의鮮人三百餘名의生命
을完全히救護하얏슴에為하야我等一同安泰의
今日이在함은全혀署長殿의鴻恩에外
치안음으로하야
茲에我等一同은感泰의餘에報恩記念品
을贈呈하야感謝의微意를表함
大正十三年二月十五日
鶴見潮田両町在住
鮮人一同 代表者
金諧景 具京五 李鳳相
呉半孫 李聖基 金在洪
金正大 朴春一

震災から5カ月後、鶴見、潮田両町に住んでいた朝鮮人から大川署長へ送られた感謝状。「我等一同安泰の今日が在るのは、すべて署長殿の鴻恩（こうおん）に外ならない」とある。

田町に戻っています。[▼A] 鶴見警察署に収容保護されていた朝鮮人の半数近くが、1カ月後には戻ったことになります。

感謝状には代表者8人の氏名があります。この8人の名前を資料の中に探していくと、このうち3人の名前を確認することができました。

まず、「金正大」です。『横須賀市震災誌附復興誌』245頁には、華山丸から横須賀に移送していた朝鮮人のうちの11人を、10月14日に潮田町の金正大へ引き渡したとあります。これを裏付ける記録が、海軍史料の「別冊収容離収容表」に載っています。[▼B] 震災時の住所が「鶴見汐田町1265　金相大方」となっている人が11人おり、そのうち8人と別住所の2人の計10人が、10月13日に「鶴見汐田町金正大」あるいは「鶴見汐田町金相大」に引き取られています。「汐田町」は「潮田町」で、「金相大」は「金正大」のことでしょう。

日付も一日違い、ぴったり一致というわけではありませんが、同一事実を記したものと見なすことができます。ここから分かるのは金正大が潮田町に住む、朝鮮人労働者を何人も抱えた親方であり、華山丸から一足早く潮田町に戻って、10月13日に関係の朝鮮人労働者を横須賀収容所から引き取ったということです。

彼が潮田町に戻ったのは9月26日です。1923年9月27日付の報知新聞に、金田大ら31人、呉斗詠ら35人が潮田町に戻ったとあります。「金田大」は「金正大」のことでしょう。朝鮮語読みでは「田」と「正」は近い音になります。

そして「呉斗詠」は、感謝状に連名している「呉斗泳」と同一人物だと思われます。金正大と呉斗泳はこの地域の朝鮮人のリーダーだったことが確かめられます。

▼A 『市震災誌第四冊』65頁

▼B 「鮮人保護収容経過報告之件」に添付された横須賀収容所名簿のこと。『関東大震災政府陸海軍関係史料III』日本評論社

同記事には、潮田町の「吉原兼吉、渡邊三蔵」が彼らを「鶴見署の証明により26日午前引取労働に従事させることとなった」とあります。「渡邊三蔵」とは、『震火災誌』に登場する「土木請負業渡邊三三」のことです。9月2日、流言と迫害が最もひどい時期に、総持寺で群衆に取り囲まれて危険な状況になっていた朝鮮人たちを松尾嘉右衛門と共に助けた、あの渡邊三三です。

渡邊や松尾のように震災前に朝鮮人労働者を使用していた土木請負の親分たちが、朝鮮人労働者を迫害から守り、今は華山丸の朝鮮人労働者の引き取り人となって、いち早く行動していたのです。

こうして鶴見・潮田には次々と朝鮮人労働者が戻ってきました。

また呉斗泳は、やはり感謝状に名前が見える金浩景とともに朝鮮人労働者の団体「鶴見鮮人親睦会」を結成した中心人物です。

内務省史料「朝鮮人労働者に関する状況▼C」についている「添付参考表」の一つに「朝鮮人労働者ノ団体調」があります。その中の「神奈川県の団体調」に、金浩景、呉斗泳の名前が見えます。▼D

「団体名：鶴見鮮人親睦会／会員：土工人夫183名／趣旨：内鮮融和、貧困者救済／会長：呉斗栄／幹事：金浩景／設立：大正13年3月3日」

とあります。会長の「呉斗栄」は「呉斗泳」、幹事の金浩景は、感謝状の筆頭にある金浩景ではないでしょうか。

大川署長への感謝状の日付は2月15日でした。これは、この団体「鶴見鮮人親睦会」が結成される約半月前に当たります。会員数183人ということは、鶴見潮田町の朝

▼C 内務省社会局第一部、大正13年7月
▼D 『在日朝鮮人関係資料集第一巻』三一書房

鮮人労働者の大半を会員としていると考えられます。

ここから、感謝状の背景が見えてきます。

感謝状の代表8人は朝鮮人労働者の親方たちであり、「鶴見鮮人親睦会」のリーダーたちと重なると考えられます。朝鮮人労働者の団体を作るにあたって、彼らは鶴見警察署と折衝する必要があったはずです。呉斗泳や金浩景たちは、その過程で、大川署長に感謝状を贈るという行動を取ったのです。

鶴見町の朝鮮人リーダーである彼らが感謝状に託したものとは、何でしょうか。

感謝状はまず、大川署長に対する感謝の気持ちを率直に現したものです。彼らは、大川署長の保護によって生き延びることができました。

先述したように、佐久間権蔵の『日記』には、大川署長が9月3日に佐久間らの退去要請を承服させられたとき、朝鮮人の親方に状況を説明していたことが記されています。大川署長は、署内に収容されている朝鮮人に対して状況をきちんと説明していたのです。

9月4日に「臨時町会」で鶴見署での保護が認められたときにも、大川署長は朝鮮人たちにそのことを報告していたことが、『震災美談』に出てきます。「署長より是れまでの顛末を説明し、最早充分安心して宜しいと言ひ渡した時は、生きた身そらもなく、互に寄り添うて慄へて居た一同齊(ひと)しく起立して感謝したのであった」。

従って、収容された朝鮮人たちは大川が彼らの安全のためにどのように力を尽くしたのか、その状況を知っていました。感謝状に「我等一同安泰の今日が在るのはすべて署長殿の鴻恩(こうおん)にほかならない」とあるのは、そのためです。感謝状は、鶴見の朝鮮人が共有する感謝の気持ちを形に表したものでした。

そして感謝状には、このような悲劇が再び起きてほしくないという強い願いも込められているように思います。デマが流され、朝鮮人というだけで殺されたのです。この地で暮らしていくには、このような迫害が繰り返されてはなりません。そして、肝腎な時に自分たちの側に立って行動する、大川署長のような日本人がいてほしいという願いが込められていたはずです。

また、3月3日の「鶴見鮮人親睦会」結成に向かう動きの中でこの感謝状が出された意味も考えることができます。震災後、各地に朝鮮人労働者の団体が生まれます。出稼ぎから定住への変化もあり、日本で仕事を続け暮らしていく朝鮮人にとって、自分たちの生活を守ることが大きな課題になりました。横浜市内でも、李誠七(イソンチル)を代表とする「鮮人労働組合」が1924年4月に、また、同年11月には貧困や失業、生活に困った朝鮮人を自分たちの助け合いによって救済しようとする「愛護会(在横濱鮮人救済団体)」が結成されています。呉斗泳らの「鶴見鮮人親睦会」も、相互扶助を基調とした朝鮮人労働者の団体でした。

鶴見の朝鮮人リーダーたちが、この団体結成にあたって大川署長に感謝状を贈ったのはなぜでしょう。当時は朝鮮人の動きが危険視されていました。多くの仲間の生活を守るためには、日本社会の動向に思い巡らして慎重に行動する必要がありました。迫害・虐殺を経験した朝鮮人リーダーにとって、それは震災の大きな教訓だったはずです。朝鮮人が警察署長に感謝を表明することは、日本社会に受け入れられることです。団体結成にあたって大川署長を顕彰したのは、それが朝鮮人を危険視する日本社会との軋轢を少なくし、自分たちを守るものだという判断があったからだと思います。

朝鮮人リーダーたちは、生活を守る取り組みを始めるにあたり、このような思いや願いを感謝状に託したのではないでしょうか。

さらに感謝状は、朝鮮人虐殺がデマを信じた日本人多数による迫害であったことを伝えています。

朝鮮人虐殺が根拠のないデマによる民族的迫害であったことは、当時の日本社会には正しく伝えられていませんでした。横浜には4つの小学校の震災作文が残っています。震災の3～7カ月後に書かれた子どもたちの作文です。流言や自警団の動き、虐殺の目撃などの体験が書かれています。しかし子どもたちはデマを事実として認識し、実際に朝鮮人が襲ってきたと思い込んだまま書いています。流言が根拠のないデマであったことや、二度と繰り返してはならない反省すべき事件であったことは教えられていません。虐殺の事実を明らかにする動きは弱く、虐殺事件はうやむやにされていたのです。

感謝状は「我等鮮人に対して多衆市民は不逞行為があったと曲解して不穏な形勢にあった時」と書いています。「朝鮮人の暴動や放火などはなかった。にもかかわらず多数市民がそう思い込んで虐殺に向かったのだ」というのです。注目すべきは「多衆市民」という単語です。一部の暴民ではなく多数の市民がそれを行ったのだと書いています。

感謝状は、朝鮮人虐殺がどのような出来事であったかをはっきりと記しているのです。この認識は、大川署長と共有できるものでした。大川署長は流言を否定し、「不逞行為があったと曲解して不穏な形勢」をとる多数の市民に立ち向かって説得し、朝鮮人を守ったからです。感謝状は、朝鮮人虐殺の真相を共有できる数少ない日本人である大川常吉への感謝の形をとりながら、朝鮮人虐殺が何であったのかを伝えているのです。

最後に、感謝状は虐殺を忘れず記憶するための思慮深い動きではなかったかと考えます。

朝鮮人にとって、関東大震災時の朝鮮人虐殺は決して忘れることができない体験でした。この不当な迫害に対する強い憤りがありました。しかし虐殺に抗議し、真相を解明していくことは、厳しく弾圧されます。そして、日本社会は関東大震災の虐殺を忘れようとしていました。震災の翌年、『震災美談』を書いた中島司は、「一切を水に流して忘れてしまう外悔やんでも詮ないこと」と平然と述べています。このままでは虐殺の記憶は風化し、忘れ去られる状況にありました。これに対して、朝鮮人が憤りを内に秘めたまま記したのが、この感謝状だったということです。それは、大川署長を顕彰しながら、関東大震災の迫害・虐殺の歴史を思い起こすことでした。「決して忘れない」ということです。

朝鮮人による大川署長の顕彰としては、もう一つ、横浜市鶴見区潮田の東漸寺にある「故大川常吉氏之碑」があります。大震災の朝鮮人迫害と大川署長の行動を、多くの人に伝えています。

故大川常吉氏之碑

関東大震災当時流言蜚語により激昂した一部暴民が鶴見に住む朝鮮人を虐殺しようとする危機に際し当時鶴見警察署長大川常吉氏は死を賭して其の非を強く戒め三百余名の生命を救護した事は誠に美徳である故私達は茲に故人の冥福を

横浜市鶴見区潮田町の東漸寺にいまも残る「故大川常吉氏之碑」。震災から30年後に建立された

祈り其の徳を永久に讃揚（さんよう）する
1953年3月21日
在日朝鮮統一民主戦線
鶴見委員会

大震災から30年後の1953年、春の彼岸の日に、常吉氏の子であるの大川博氏も出席するなかで建立されたと聞いています。

恐らくは1924年の感謝状とつながる人々によって建立されたのだろうと推測しますが、この石碑をめぐる具体的なことはよく分かっていません。「在日朝鮮統一民主戦線鶴見委員会」という組織名が刻まれていますが、誰が中心となって呼びかけ、資金を集め、どのような経過で、1953年3月という時期に建立したのか、感謝状とこの石碑はどういう関係にあるのか、これらの事実を明らかにできないままでいます。今後の大きな課題です。

この石碑の建立によって、忘れられていた大川署長のことが歴史上の出来事として思い出されることになりました。朝鮮人が警察官を顕彰する碑を建立したと知った神奈川県警察本部が、『神奈川県警察史』（1970年）にこの碑と大川署長のことを取り上げたのです（そこに多くの誇張や創作が混じっていたことはすでに見てきました）。その後は、門司亮氏の新聞連載「わが人生▼A」、パクキョンナム氏の『ポッカリ月が出ましたら▼B』、自由主義史観研究会『教科書が教えない歴史▼C』が取り上げることとなり、多くの人が知るようになったのです。

私は、朝鮮人による東漸寺の碑の建立がなければ、大川署長のことが伝わることはなかっただろうと思っています。関東大震災と朝鮮人虐殺のこと、鶴見の朝鮮人保護のこと、そして大川署長のことを忘れずに伝えようとしたのは、鶴見の朝鮮人でした。石碑という誰もが見ることのできる形で、石に刻んで後世に伝えようとしたのです。

大川署長に対する感謝状、そして東漸寺の感謝の碑は、大川署長への深い感謝の気持ちを表すとともに、朝鮮人虐殺の歴史を伝えています。それは、弾圧をかわしながら歴史を伝えていくという、迫害を生き延びた朝鮮人の思慮深い動きから生まれたものに違いありません。

私たちは大川署長をどのように語るべきか

大川署長は、親方たちとも連絡を取りながら朝鮮人の保護を進め、町の有力者たちを説得し、9月4日の「臨時町会」で朝鮮人収容保護という全町の意思一致を実現しました。そして町長と町議たちは、武装した様々なグループを全町自警団にまとめ、統制下に置きました。こうした一連の動きがなければ、警察署内の朝鮮人・中国人を守り切ることはできなかったでしょう。

朝鮮人の引き渡しを求めて群衆が警察署になだれ込む事件が、あのとき関東の各地で起きていました。埼玉県の本庄署では80数人の朝鮮人が（4日夜～5日朝、6日）、同じく埼玉県の寄居署では1人の朝鮮人・具学永（ク ハギョン）が（6日）、群馬県の藤岡署では17人の朝鮮人が（5日、6日）、乱入した群衆によって殺されています。千葉県木更津町でも9

▼A 後に書籍として出版、1980年
▼B 三五館、1992年
▼C 扶桑社、1996年

月3日、4日と群衆が朝鮮人の引き渡しを要求して木更津署に押しかけています。警察は拒否して追い返したのですが、その対立は5日、木更津駅で警備を巡る警察と自警団のトラブルとなります。群衆は駅前の派出所を襲撃し、署へ戻る警察署長と巡査2人に投石し負傷させています。さらに勢いづいた群衆は警察署に押しかけ、署内へ乱入しました。大川署長と佐久間権蔵が最も恐れた事態が、現実に各地で起きていたのです。

あの時もし、佐久間らの要求に屈して大川署長が朝鮮人労働者たちを千葉県の寒川に移送していたら、どうなったのでしょうか。調べてみると、9月4日頃の千葉は安全とはとても言えない状況にありました。

千葉県西部では、虐殺事件が多発していました。司法省の「震災後に於ける刑事事犯及之に関聯する事項調査書」には、千葉県の虐殺事件のうち起訴された12件が載っています。その大部分は東葛飾郡、つまり東京方面から千葉市に向かう途上です。

朝鮮人の親方が行き先として挙げた寒川でも、虐殺事件が起きています。虐殺の舞台は寒川の旅館でした。東京日日新聞▼Aは事件の概要を次のように述べています。

「9月1日以来不逞鮮人の流言蜚語におびやかされてゐた折り柄、4日正午ごろ千葉市寒川片町旅人宿上総屋事野口さよ宅前を通行中の数名の群衆が口々にこの家に鮮人3名が爆弾を所持してゐる旨を聞き、不逞鮮人なりと即断し直に同家の二階に押しあがり長さ4尺位の丸太棒で鮮人鄭基佑、李奎錫の両名を殴打し頭部その他に重傷を負はせ同家前の溝中に入れた後も氏名不詳の3名と共に

▼A 房総版1923年11月14日付

薪割で4、5回斬り付け遂に鄭を殺した」

こうした事実を踏まえれば、安全のために鶴見から退去させるという佐久間たちの判断は誤っており、「警察の手を離れれば忽ち虐殺されて仕舞います」と言った大川署長の方が正しかったと言えるでしょう。いずれにせよ、鶴見町での朝鮮人・中国人保護は、まさに薄氷を踏むような状況下で行われたことが分かります。

それは大川署長が粘り強く町民や有力者たちを説得し、その意識を変えていくことで実現したものです。一人で群衆に立ち向かい、「まずこの大川を殺せ」と叫んで平伏させたといった英雄譚は、史実からはかけ離れています。

中島司が『震災美談』で公言していたように、こうした「美談」には、朝鮮人・中国人の虐殺という悲惨な歴史にたじろぐ日本人にとって歴史について真摯に考え抜くことから逃避させる危うさがあります。私たちに必要なのは「震災美談」としての「大川神話」ではなく、事実に基づく歴史の真実です。

大川署長は、確かに約400人の朝鮮人、中国人を警察署に保護し、迫害から守りました。しかし鶴見の町では多くの人が流言を信じ、朝鮮人や中国人を暴行し、虐殺事件も起こっていました。少なくとも1人が殺され、約30人がケガを負わされていました。大川署長は、これらの事件を捜査して実行者を逮捕し、取り調べるといったことは、1件の起訴を除いて、できませんでした。不当にも迫害され、虐殺されていった朝鮮人、中国人にとってみれば、大川署長が「できなかった」ことがたくさんあるのです。

そもそも、警察が暴行や殺人をやめさせ、迫害を受ける人びとを守るのは当たり前のことです。その当たり前のことを、当時のほとんどの警察署、警察官はできなかった。あるいは、そもそもしなかった。むしろ虐殺の煽動さえした。私たちは、まずはそうした歴史の現実をしっかり見つめなくてはいけません。それを踏まえた上で、大川署長が排外主義の吹き荒れる状況に抗して行動した姿を見ていくべきなのです。

また、大川署長は決して当時の「時代の常識」を超えて日本の植民地支配の現実を理解していた人ではありません。渡邊歌郎の『感要漫録』には、「彼等は吾邦摂政の元に嬉々として、只食を得んが為めに働き居り」といった、朝鮮人への無理解と差別意識をうかがわせる大川署長の発言が記録されています。そのことは押さえておく必要があります。しかし、そうした意識を持ち、そうした言葉を使いながら、彼が何のために、どんな事態に立ち向かい、どのようにそれを変えていったかを明らかにするのが歴史研究なのではないでしょうか。

私は、大川署長の行動の根底にあったのはヒューマニズムだと思います。彼が訴え続けたのは「殺してはならない」ということでした。流言はデマであり、朝鮮人が反乱を起こすことはない、彼らは被災者であり、迫害の犠牲者である、彼らを保護することこそ警察官の仕事だと訴え、それを貫くために勇気をもって行動したのです。『震災美談』は、次のような大川署長のことばを伝えています。

「たとひ一身を犠牲としても、あくまで彼等を保護するは、己の職責であり、また人道に忠なる所以なり」（たとえ自分の身を犠牲にしても彼等を保護するのは、それが私の警察官としての責任であり、人としての道を守ることだからです）

大川署長はなぜ流言を否定できたのか。町民の非難や反対に遭いながら朝鮮人・中国人の保護という方針を手放さなかったのはなぜなのか。そして、その方針を有力者たちと共有し実際に貫くことができたのは、なぜなのか。

私たちが学ぶのは、こうした事実に基づく真実です。そこにこそ、私たちが未来への教訓として学ぶべき内容があるはずなのです。

【研究ノート余録3】

朝鮮人を守った親方たちのその後――鶴見騒擾事件

震災直後に鶴見町で朝鮮人を守った土木請負師、つまり親方たちは、その2年後に全く別の事件によって再び歴史に登場します。１９２５年12月、鶴見町に隣接する潮田町を舞台に起きた「鶴見騒擾(そうじょう)事件」です。

これは、川崎市大川町に建設される東京電力の「鶴見潮田火力発電所」工事をめぐる土建業者の争いです。基本的には、三谷秀組の幹部で中田組の中田峰四郎が率いる「赤組」と、青山組の青山芳藏と松尾組の松尾嘉右衛門が率いる「白組」の衝突でした。

松尾嘉右衛門とは、関東大震災翌日の9月2日に総持寺の境内で朝鮮人労働者19人を助けたあの親方です。そのときに松尾とともに朝鮮人を助けた渡邊三三（中田組幹部）は、2年後の鶴見騒擾事件では松尾と敵対する「赤組」でした。震災当時、別の場所で朝鮮人を守った山口政吉は、松尾に加勢して「白組」についています。

当時の土木請負師たちの多くは博徒でもあり、任侠の人間関係を築いていました。盃(さかづき)を交わした親分子分、兄弟分、廻り兄弟といった関係があり、この鶴見の抗争にも各地の親分衆が部下を連れて加勢しています。大阪の淡熊会(だんくまかい)というグループも、「白組」加勢のため２３５名を送り込んだといいます。

こうして、潮田町を舞台に双方合わせて１０００名余りが竹やり、日本刀、散弾銃からモーゼル自動小銃、鴨撃ち砲までを用意してにらみ合いました。さらに神奈川県警察部が警視庁の応援を得てこれを抑え込もうとします。12月21日夜には死者3名、負傷者100名を超える乱闘事件が発生し、逮捕者は455名（起訴230名）にもなりました。

「白組」の松尾は、この抗争に勝利しましたが、以後、博徒をやめて土建業に専念します。松尾組は多方面の仕事を手がけ、「何でも屋」と言われながら発展を続けました。松尾は1936年には横浜土建建築請負組合理事長に、41年には神奈川県土建工業組合理事長に、42年には神奈川県土建工業会理事長を務め、ついには多額納税者として貴族院議員に上り詰めます。

一方、横浜から「赤組」の加勢にやって来た一人に、「ニッケルの照」こと笹田照一（港湾運送請負。笹田組）がいます。この人物についても、関東大震災時の朝鮮人虐殺にまつわるエピソードが残っています。

笹田は震災直後、子分を率いて「朝鮮人狩り」をしていました。しかしそのとき、山口正憲の横浜仲仕同盟会で顧問をしていた金井芳次に出会います。金井に「親分の酒井信太郎が朝鮮人の救出にかけまわっているのに、酒井親分に知れたらどうする」と諭され、朝鮮人迫害から一変して保護に転じたといいます。金井の『私の労働運動史』（小倉印刷出版部、1966年）に、日本刀を携えて子分を率いた笹田に会った時のことが出てきます。

「聞けば（笹田は）自警団の隊長で、不逞朝鮮を見つけ次第、殺害するという。流言はいずれから流れ、何の目的での流言かは、いまもなお真相は明らかではないが、彼ら自警団も附和雷同しているのではない。笹田らの行動は愛国的な真剣な至情から出ていることであろうが、やがて彼らの手によって不慮の災害を被るであろう朝鮮人のために、私は助命を願った。『君がそう言うなら、奴らも大してわるい者ばかりではないだろう。君の保証するものは俺の手で保護してやる。』彼は確約した。笹田はむしろ朝鮮人の保護に協力した。その結果、危機一髪のところで命の助かった朝鮮人が多い」

金井は自警団について「朝鮮人を片っぱしから虐殺し、あるいは女子供にさえ暴行を加える」と批判していますが、一方で、朝鮮人虐殺に向かう笹田たちを「自らの食糧難のことも、負傷のことも、瀕死の家族のことまでも忘れて『自警団』を組織し、鉄砲、竹やり、日本刀をたばさんだ人々」とも描いています。港湾荷役や土建の請負業の親分たちの「侠気（おとこぎ）」は、迫害される朝鮮人を身体を張って助ける方向に発揮されることもあれば、「愛国的な至情」にかられて「不逞鮮人を見つけ次第殺害する」行動にもなったということが分かります。

金井芳次についても見ておきましょう。1895年生まれ。東洋通信社の記者でしたが、社会主義、労働運動に惹かれ、1919年に横浜で沖仲士になります。そこで沖仲仕のストライキを組織し、20年5月には山口正憲らとともに横浜仲仕同盟会を結成。顧問となりました。1920年には第一回横浜メーデーを成功させました。

震災当時は東京時事新報社の記者でした。井土ヶ谷住吉神社下の空き地に朝鮮人200余名を避難させ、保護したといいます。その後は無産政党の議員となり、政治活動や労働運動で活躍しました。

26年には横浜市議会議員に当選し、翌27年には第一回の普通選挙で県会議員に当選。40年には大政翼賛会の推薦を受けずに県議に当選しています。戦後は日本社会党と総同盟県連の再建に参加。戦後の46年には衆院議員に当選しますが、翌年、占領軍によって公職追放されています。1974年に亡くなりました。

第4章

横浜の中国人虐殺

第1節　中国人虐殺は、なぜ記憶されてこなかったのか

政府の隠蔽だけが理由なのか

関東大震災時に、日本の民衆や軍、警察によって殺されたのは、朝鮮人や、朝鮮人に間違えられた日本人だけではありません。数百人とみられる中国人もまた虐殺されています。

中国人虐殺の本格的な歴史研究は1970年代に始まります。横浜市立大学の今井清一教授は、中国人虐殺に関係する資料が外務省文書にあると見抜き、米軍が日本占領時に作成した「日本外務省文書マイクロフィルム」に着目します。そして、米国議会図書館から関係史料『本邦変災並救護関係雑件　関東地方震災関係（大島町事件其他支那人殺傷事件）』（以下、「外務省・殺傷事件文書」）を発見します。これによって、日本政府が中国人虐殺の事実を把握していながら、内外には虐殺を否定し、隠し続けていたことが明らかになりました。

「外務省・殺傷事件文書」は、今では外交史料館で見ることができます。また、その主要なものは、仁木ふみ子編『史料集　関東大震災下の中国人虐殺事件』[A]に収められています。

2008年にまとめられた内閣府中央防災会議の報告「1923関東大震災・第2編」は、東京・大島町で軍隊、警察、民衆が数百人の中国人を虐殺した「大島町事件」につ

▼A 明石書店2008年。以下、『仁木・史料集』と記す

いて、「これは一件の事件としては震災時に生じた最大の殺傷事件である」と述べています。

しかし、こうした事実があったにもかかわらず、私たちの社会において中国人虐殺については ほとんど記憶されず、語られることがありませんでした。

第三章で見たように鶴見署の大川常吉署長が「毒の入った瓶」を飲んでみせたという逸話は、神奈川県警察部の『大正大震火災誌』(1926年)に載っていますが、実は自警団が「毒の入った瓶を持った朝鮮人」として連行してきたのは、横浜から避難途上の「中国人」でした。

警察が調べてみると、中国人が持っていたのはビールと中国醤油です。しかし、大川署長の説明を自警団は受け入れず、「毒を持った朝鮮人」だと言い張ります。そこで署長は、ビールと中国醤油を飲んでみせたのです。『大正大震火災誌』では、9月2日の出来事とされています。

ところが、戦後になって門司亮氏の「わが人生」が新聞連載され、その後出版されたこともあって、大川署長の逸話として、よく似た別の話が広まっていきます。それは9月3日の出来事で、警察署が群衆によって囲まれた時、大川署長が「毒の入った井戸水」といわれるものを飲み干した話になりました。特に注目したいのは、中国人保護の話から朝鮮人保護の話に変わったことです。

鶴見署は、迫害されていた中国人約70名を保護収容していました。警察資料に記録された事実です。ところが中国人に対する迫害と保護は、後世の言い伝えから消えてしまったわけです。そして、「朝鮮人を守った大川署長」の話ばかりが残りました。それはなぜでしょうか。

中国人虐殺事件については徹底的に隠蔽する。中国人の虐殺があったとしても、それは朝鮮人と誤認しての殺人だったとする。これが日本政府の方針でした。後述しますが、9月3日には大島町事件が起き、9月12日には中国人労働活動家・王希天(ワンシーティエン)が殺害される事件が起きます。これらの事件は日中政府間の外交課題となりましたが、11月7日の五大臣会議[▼A]で「徹底的に隠蔽するの外なしと決定」されています。

同月に司法省が作成した「震災後に於ける刑事事犯及之に関聯(かんれん)する事項調査書」(以下、「司法省報告」)も、この政府決定を受けて、中国人虐殺事件はわずか4件、すべて朝鮮人と誤認したものとなっています。王希天事件については、軍は王希天を12日に釈放した、その後は所在不明だが危害を受けた事跡はないとしました。大島町事件については「厳に之が調査を為したるも其の事跡明ならず」として、事件の存在そのものを否定しています。

また戒厳司令部は、大島町での虐殺事件に軍隊が関与したことを認めながらも「本鮮人団は支那労働者なりとの説あるも軍隊側は鮮人と確信殺害したるものなり」と強弁しています。[▼B]殺された人びとが朝鮮人なのか、中国人なのかを明らかにせず、軍隊は朝鮮人と思い込んでいたのだと、言い訳のような説明を残しているのです。

中国人虐殺の記憶がほとんど語られないできた背景に、このような政府の隠蔽、朝鮮人と誤認したのだと説明するという方針の影響があったことは否定できません。しかし、日本社会が中国人虐殺を伝えてこなかった理由は、果たしてそれだけなのでしょうか。

▼A 総理、内務、外務、司法、陸軍各大臣

▼B 「震災警備ノ為兵器ヲ使用セル事件調査表」

流言もないのに殺された中国人

横浜ではどうでしょう。神奈川署は当時、朝鮮人２５７人、中国人２３５人を保護収容しています。戸部署では朝鮮人約１５０人、中国人数十人が、大川署長の鶴見署では朝鮮人３００余人、中国人約70人が保護されています。朝鮮人と比べても、相当数の中国人が保護されているのです。これは、中国人に対しても朝鮮人と同様に民衆の敵視が向けられていたこと、そして実際に迫害や虐殺があったことを示唆しています。

ところが、先述の司法省報告では、神奈川県で殺された中国人被害者は、足柄下郡土肥村[C]事件の３人のみです。横浜で殺された中国人はゼロなのです。このように、日本の当局が残した公文書からは中国人虐殺の実態は見えてきません。

しかし実は、中国側でまとめた被害者名簿があります。震災後に中華民国政府の外交部が作成した資料集『日本震災惨殺華僑案』には、十数種類の被害者名簿がありま す。これは、名簿の作成経過や内容から見て、ある程度信頼できる史料です。横浜についても、名簿によって異同がありますが、殺傷された約１００人の氏名・年齢・原籍・災前住所・被害日時・被害場所・加害者・被害状況・証人氏名などが記されています。『日本震災惨殺華僑案』の第４冊（１９２４年作成）に、留学生・黄迥凡の虐殺報告書[D]が収められています。虐殺の様相を生々しく伝える証言ですので引用します。

「大正12年９月２日、私は同郷の商人、学生十数人と横浜北方小港の空き地に避難していた。食糧がないため付近で食べ物の調達をしに行こうと思った。午前９時頃、

[C] 現在の湯河原町
[D] 「広東留日学生代表陳燦章」宛

黄文玲と二人で危険を覚悟して出かけた。箕輪下停留場の左側を通った時、日本人自警団十数人が手にとび口や竹やりなどの武器を持って電柱の下に立っていた。電柱の下には35、6歳の二人が縛り付けられていた。一人は東向きに座り、もう一人は西向きになっていた。二人とも殴られ頭蓋骨が割れて脳みそと血が顔面に流れ散り、息絶え絶えだった。黄文玲は危険と見て引き返したが、私は危険を冒して3メートルくらいまで近づいた。一人は広東省香山県の唐宝君(くん)と分かったが、もう一人は血だらけで識別できなかった。自警団の視線が私に集まったので危険を感じ、恐くなって小港まで走ってにげた。／以上が、当日、私自身(黄迴凡)が目撃した日本人自警団がわれらの華僑同胞唐宝君及び唐宝君と同時同所で殺害された某君の証拠です。／中華民国12(1923)年12月14日」

このようにして、横浜の各地で中国人が虐殺されています。なぜこのようなことが起きたのでしょうか。

もう一つの疑問は、朝鮮人と誤認して殺したのか、中国人と知った上で殺したのかということです。先の司法省報告では「何れも支那人に対する反感に出でたるものに非ず全く鮮人と誤認したるもの」としていますが、実際には、「中国人と知った上で」、あるいは、「中国人だから」殺したと見るほかない事件があります。

例えば、司法省報告中の「鮮人と誤認して内地人を殺傷したる事犯」に、9月3日に神奈川県茅ケ崎町▼Aで岩井寛治という人が「日本刀を以て殺害」されたという記載があります。この事件については、当時の新聞も報じています。東京日日新聞は「支那人11

▼A 現在の茅ヶ崎市

人を八幡消防組に保護したるを」「朝鮮人を収容し後に焼打ちするだらうと誤解されて殺された」[B]と書いています。一方、同日の国民新聞は「支那人砂利人夫を庇護したる為め支那人と見られ」「日本刀で殺さる」と報じています。「朝鮮人と誤認した」のか、「中国人と知っていて、岩井も中国人だと思って殺した」のか、同じ事件について報道が二つに分かれているのです。

もし中国人だと認識した上で殺したのであれば、その理由は何でしょうか。朝鮮人虐殺の引き金を引いたのは「朝鮮人暴動」の流言でした。しかし中国人については、その種の流言はなかったのです。

中国人はなぜ殺されたのか。私たちの社会はなぜ、その記憶を忘却に任せてきたのか。私はまだ、その答えを見つけられずにいます。その答えに少しでも近づくために、まずは震災前の中国人労働者の状況について考えてみたいと思います。殺された中国人のほとんどが、労働者だったからです。

第2節　神奈川県は中国人労働者の締め出しをはかっていた

「華僑」と中国人労働者

関東大震災当時の横浜には、大きく分けて二つの中国人集団がありました。旧居留地に住む「華僑」約5000人と、それ以外の地域に住む500人以上の中国人労働者です。横浜には、幕末の開港で外国人居留地が設けられて以来、中国人の街がありました。1889年に居留地が廃止されたあとも、山下町に中国人の街が存続し、「南京

▼B　1923年10月21日付

町」と呼ばれるようになりました。これが現在の中華街に続きます。この地域を中心として横浜に根付き、コミュニティーを形成していったのが「華僑」です。主に広東出身者で、貿易関係から洋裁、理髪、家具の製造販売などの仕事に従事していました。

山下町140番地は関帝廟（信仰の場）、中華会館（華僑の相互扶助組織）、中華総商会（商業発展の組織）、大同学校・中華学校（教育の場）が造られ、街の中心となりました。

現在の中華街は、横浜の名所、中華料理店の立ち並ぶ日本の観光地となっていますが、当時の様子はまったく異なります。まず、中華風の建物はなく、ほとんどは木造の骨組みの周囲にレンガを積み上げたものでした。観光地ではなく、日本人を相手にする中華料理店はありません。現在の中華街のシンボルである「善隣門」ができるのは1955年。戦後のことです。

当時の華僑の仕事は貿易関係の商社、そして当時、三把刀（さんぱとう）といわれた洋裁・理髪・料理の三つ、クリーニング・ペンキ塗り・家具や楽器製造など、欧米の生活様式に密着したサービスやものの製造・販売でした。日本在住が長い人も多く、家族で暮らしています。欧米系外国人や日本人と親交のある人もいました。資産を築き、旧居留地の外に店や工場を持つ人もいました。

一方、1920年頃には、旧居留地の「華僑」とは異なる出稼ぎ労働者や行商人が横浜に現れます。彼らは主に浙江省の温州や処州の人々で、市内の工場、建設現場で働いていました。大部分は家族は伴わず、単身の青年男子です。最初は、雨傘、薬、扇などの行商人、鎹止め（かすがいど）▼Aの職人として来ました。しかしそのまま、工場や土木現場で働く労働者にもなります。さらに商人や職人を装って入国して、実際は労働者として働く者

▼A　割れた茶碗などを金具でつなぐこと

も増えていきました。

この中国人労働者を考える上で知っておくべきポイントが二つあります。一つは、低賃金であることです。表1のAにある通り、賃金の額は日本人、朝鮮人、中国人の順に少なくされていました。中国人は最下層に置かれていたのです。

低賃金で働かされる中国人は、雇用主には都合がいいのですが、仕事を奪われる日本人労働者には恨まれることになります。特に第一次世界大戦時の好景気が終わった1922年以降は、中国人労働者の雇用を禁止せよという要請が強まっていました。

もう一つのポイントは、中国人に対しては「労働許可制」が敷かれていたことです。1899年、それまで居留地に限られていた外国人の居住、労働が自由になりました。その一方で勅令第352号が発せられ、外国人労働者は地方長官▼Bの許可を得る必要があるとされました▼C。そして不況の到来とともに、政府・府県は、勅令第352号に基づいて中国人労働者の就業禁止、退去処分、入国取締・禁止などを行うようになります。

表1のBを見ると、旧居留地外では無許可労働者の割合が高くなっています。とりわけ神奈川県では旧居留地外の労働者512人中490人、実に約96%が無許可の労働となっています。また表1のCでは、最も就業者数が多い「土工、人夫」が、旧居留地外ではすべて無許可労働にあります。いずれも中国人労働者が不利で困難な状況に置かれていることを示しています。神奈川県は、中国人労働者の就業をほとんど認めなかったのです。

▼B 知事。東京では警視庁総監

▼C これは外国人労働者に対する制限で、日本の植民地支配下にあった朝鮮人、台湾人の労働者には制限はありませんでした

【表1】中国人労働者にかかわる統計資料

統計資料は、山脇啓造『近代日本と外国人労働者』(明石書店1994年)からの引用。

A 272頁
B 134頁
C 134頁

A 賃金比較表1924年

		賃金(円)		
		最高	最低	平均
人夫	日本人	98	56	70
	朝鮮人	81	27	54
	中国人	70	45	50
土工	日本人	100	50	62
	朝鮮人	100	50	62
	中国人	70	45	50
裁縫職	日本人	84	70	70
	朝鮮人	56	50	56
	中国人	120	30	55

出所:『外事警察報』第28号

B 在留中国人労働者数 1923年8月末

	旧居留地内	旧居留地外		計(人)
		労働許可	無許可	
東京	0	743	1613	2356
神奈川	653	22	490	1165
愛知	0	21	404	425
兵庫	664	229	293	1186
大阪	10	704	233	947
京都	o	284	82	366
長崎	111	98	0	209
全国	1452	2256	3641	7349

出所:「(震災前)支那人労働者調査票」外務省記録『帝国議会関係雑纂説明資料』 第4巻1146頁より作成

C 職業別中国人労働者数 1923年8月末

	旧居留地内	旧居留地外		計(人)
		労働許可	無許可	
土工 人夫	40	0	1955	1995
行商人転業	25	0	474	499
理髪従業者	129	1249	417	1795
料理従業者	267	931	263	1461
雑役	386	25	214	625
仕立職	292	1	84	377
鋖止	2	6	55	63
炭坑夫	0	0	47	47
籐細工	36	0	44	80

出所:「震災前支那労働者別票」『帝国議会関係雑纂説明資料』第4巻、1147頁より作成。

日中の労働者が衝突した「高島町事件」

第一次世界大戦に伴う好景気が戦争終結とともに終わり、不況が始まると、低賃金で無許可労働の中国人労働者と、彼らに仕事を奪われる日本人労働者との間で対立が生まれ、深まっていきました。

そうした中、横浜市の高島町で中国人と日本人の労働者が衝突する事件が起こります。1923年2月14日、関東大震災が起こる半年前のことです。時事新報は「午後8時半頃、横浜市高島町貨物駅前広場に於て、約三百名の日支人労働者が手に手に棍棒、薪、雑棒等を携えて入り乱れ、大格闘」「負傷者二十名を出した」[A]と伝えています。

事件について、安河内知事による報告書があります。宛先は水野錬太郎内務大臣、内田康哉外務大臣、そして指定府県長官です。[B] その要旨は次の通りです。

・神奈川コークス会社が中国人労働者30名に高島駅の機関車用石炭の陸揚げをさせた。

・日本人労働者たちが「中国人労働者を雇えば自分たちは仕事を奪われ、生活に困ってしまう。今後は絶対に中国人労働者を雇わないでほしい」と抗議してきた。

・会社側はその言い分を認め、今後は雇わないと回答した。にもかかわらず、翌日も中国人労働者が石炭の陸揚げ作業をしていた。

・日本人労働者は憤り、作業を中止させようとして争闘となった。争闘は中国人労働者側に5名の負傷者を出して終わった。加害者は逃走して所在不明で捜査中である。

▼A 同年2月15日付

▼B 「外秘収第453号 1923(大12)年2月19日」:『仁木・史料集』847~848頁

報告は、以上のように事件の経過を述べた上で、中国総領事と僑日共済会、請負業者の動きについて次のように記しています。

・横浜の中国総領事は、この問題の責任は中国人労働者にはないとして書面を戸部警察署長に郵送してきた。同領事は中国人労働者に加担し、その労働を奨励している。

・請負業者や事業主も、日本人労働者よりも低賃金、従順で過酷な労働にも堪える中国人労働者を歓迎している。この傾向は今後ますます増大するものと思われる。

・最近、東京方面から本県に入り込む中国人労働者や行商人の数が増加している。「この原因は、僑日共済会長王希天、同会協理王家楨、馬進昌などが各所を奔走して、中国人労働者の雇用を雇主に求め、中国人労働者を後援しているからである」。

ここで、安河内知事が労働者の増加の原因として名指ししている「僑日共済会」とは何でしょうか。そしてその会長である「王希天（ワンシーティエン）」とは、どのような人物でしょうか。安河内知事の言葉に敵意がにじんでいるように感じられるのは、なぜでしょうか。

「僑日共済会」の労働者支援

王希天は中国人の活動家です。震災当時は27歳でした。中国東北地方の吉林省長春市に生まれ、18歳で日本に留学し、中国と日本で学生運動に参加しました。その後、日本における中国人労働者の窮状に目を向けるようになり、震災前年の1922年9月に「僑日共済会」を結成し、その会長となります。

僑日共済会は中国人労働者が集住していた東京・大島町に拠点を置き、労働者の生活改善や医療支援、教育などを行いました。さらに日本人雇用主の賃金不払いや、現場で中国人に暴力が振るわれる問題の解決に取り組みました。こうした王希天と僑日共済会の活動は、神奈川県にも広がっていきます。

「王希天と王家楨の対話」という史料があります。▼A 王希天は警察から監視される「要注意支那人」に指定されていました。そのため常に密偵がつき、動向を監視されていました。この史料は、その密偵が僑日共済会の会長である王希天と共済会の「協理」で慶応大学の学生である王家楨の会話を盗み聞きした記録です。その内容からは、高島町の衝突事件を受けて二人が横浜における就業禁止問題の解決のために奔走したことが分かります。

記録によれば、大阪にいた王希天は、2月14日に高島町で日中の労働者が衝突したことを電報で知らされたようです。17日に帰京し、問題解決のために動き始めます。王希天は横浜に赴き、県庁や現地の警察署に出向いて交渉しますが、責任者には会うこともできず、下級の役人が対応するばかりでした。協理の王家楨も横浜に出向いて何度も県庁に行ったことを報告しています。王家楨は、「外事課の主任と会ったが、傲然無遜の態度で私たちの要求にはまるで取り合わず…絶対仕方なしと片言半句も耳

▼A 「大正12年2月24日内報第54号」『仁木・史料集』267〜269頁

をかす所がなかった」と嘆き、疲労困憊の顔色でした。警察署長との面会を求めますが、高等警察の刑事は「キサマたち、労働者を教唆して警察の命令に反抗する者であるなら、勅令違反として王希天とキサマを捕縛する。そのために今手続き中である。勅令違反は百円の罰金に幾年かの懲役である」と威嚇してくる始末です。王家楨は、「何の理解も人情もない下級官吏は、暴言威喝するばかりで分かろうともしない。日本の官吏がこれほどまでに無理解であるとは思っていなかったから、穏便なる解決をしたいと力を尽くして来たのだが、最早これまでと決し、このことを在留中国人に公表して最後の大運動を起こすよりほかない」と言います。

大阪でも問題が生じていたらしく、大阪支部から「警察が難しい。すぐ来い」という電報が届いています。大阪の警察も、「縛ったり監視したりその圧迫は実に酷」だったようです。王希天は、こうした大阪と横浜の状況を放置しておくと、全国の当局がそれにならって、中国人労働者をめぐる状況が悪化するのではないかと危惧します。彼は中国人労働者の認可問題の経緯を語ります。その要点は以下の通りです。

・昨年の9月、警視庁で交渉した。警視総監は今の掘田次官であり、折衝には池田外事課長があたり、東京は中国人労働者の労働を当分黙認する、ということになって解決した。この時、池田課長は勅令352号▼Aを振り回すことはしなかった。ただ、中国人労働者の問題点を指摘されたので、私たちも中国人労働者の改善の必要を感じてこの僑日共済会を組織した。

・11月には内務省後藤警保局長と交渉した。後藤局長もこの問題は早く解決し

▼A　外国人労働を許可制にして制限する法

たいと言われた。局長は、国民と国民とで話し合って解決する方がよい、という意見だった。

・日本の高等国策は、このような無慈悲没義道のものでは決してないはずだ。また知識階級の考えも違うはずだ。私たちはいたずらに無常識な下級小吏の暴戻に激昂して事を決するのは早計であり、日本政府の要路に訴えて、事情を明らかにし広量ある解決をめざそう。

この王希天の言葉からは、僑日共済会の働きもあってか、東京では中国人の労働が黙認されていたことが分かります。また、王希天らに内務省の警保局長や警視庁の外事課長が対応しています。東京の官僚たちには、これが日中両国の国際問題であるという理解があったのです。

ところが神奈川県では厳しい取り締まりが行われ、当局は王希天らに責任者が対応することさえしませんでした。県当局には、これが日中間の外交に関わる敏感な問題だという認識がなかったことが分かります。一方で、この記録からは、王希天や王家楨が神奈川での雇用禁止問題に対して辛抱強く取り組んでいたことも分かります。

退去処分を受ける神奈川の中国人労働者

『仁木・史料集』816〜852頁には、中国人労働者の就業禁止を伝える史料が掲載されています。労働許可を取っていないことを理由に就業禁止と退去を命じた県知事の報告です。▼B 神奈川県の4つの史料が収録されており、県内のどこで働き、どこで暮らし、

▼B 「外務省資料・支那労働者入国取締関係一件第一巻」、内務大臣、外務大臣宛

どこへ退出させられたのかが分かります。

たとえば、1922年3月11日の県知事報告は、浙江省温州から来た中国人労働者12人に対する就業禁止の報告です。彼らはこの年の1月まで東京・三河島の中華料理兼雑貨商「大原号」で傘と石細工類の行商に従事していました。しかし不景気のために売れ行きはよくありません。1月26日に横浜に移り、横浜市浅間町の「田内若次郎」方に月20円の家賃で住み始めます。そしてスタンダード石油会社の石油運搬や石炭積み降ろしなどの労働をして、1日2円から3円程度の賃金を得ていました。しかしこれは勅令第352号に違反するとして、彼らは労働を禁止され、その後は「行動を監視中」とあります。これらの知事報告には、就業禁止を命じられた労働者の氏名も載っています。後述するように、その中には関東大震災の虐殺被害者名簿に記載されている名前もあります。

この4つの史料から分かることは以下のとおりです。

第一に、出身地が記されている60人を見ると、上海出身の2人を除く58人が浙江省出身です。これは当時、中国人労働者が集住していた東京の大島町[▼A]と同じです。

第二に、横浜のどこに住んでいたかが分かります。管轄の警察署を付記すると、〔神奈川署〕神奈川町・木賃宿「坂下屋」、〔戸部署〕浅間町・田内方、西戸部町、〔伊勢佐木町署〕桜木町・岡本方、〔寿署〕中村町・木賃宿「花屋」、中村町・木賃宿「鶴見屋」です。

第三に、仕事の内容です。当初は温州傘、石細工などの行商をしていたが、その後、石油・石炭の積み降ろしや運搬、土木などの労働へと移って行った様子が読み取れます。

第四に、労働が黙認されていた東京を拠点に、仕事を求めて横浜に来るという様子

▼A 現在の東京都江東区大島

がうかがえることです。横浜で就業を禁止されると、彼らはまた東京に戻ります。東京での拠点は、大島町と三河島です。

王希天の「僑日共済会」が彼らの就業のために親方に働きかけたことを示す記述もあります。1923年2月3日の報告には、東京高等師範学校生で僑日共済会協理の王駿聲が、労働者とともに親方の荒井彦七のもとを訪れ、彼らの再雇用を求めたとあります。王は警察署にも出向き、「彼らは本国の凶作で生活困難になって日本に来たもので、警視庁その他に嘆願してそれぞれ労働に従事中なのだから、特別の同情をもって許可してほしい」と求めました。しかし警察署はこれを聞き入れず、「法令の趣旨をよく説いて禁止を申し渡した」とあります。

神奈川県は、東京とは異なり、中国人労働者の就業に厳しい対応を貫き、ほとんど労働許可を出さず、無許可で働く人々に対しては追い出しを図っていました。そのため、労働者のために奔走する「僑日共済会」を忌々しく見ていたのです。これが、震災直前の横浜で、中国人労働者が置かれていた状況でした。

第3節　被害者名簿が伝える中国人虐殺

「南京町の華僑」たちは震災で多くの死者を出した

これまで見てきたように関東大震災で横浜市は壊滅的な被害を受けましたが、なかでもかつての居留地である山下町の被害は大きく、煉瓦造りや石造の古い建物が軒並み倒壊しました。煉瓦造りで4階建てのグランドホテル、5階建てのオリエンタルホテ

かつて中国人労働者が数多く暮らした地域にあり、「土方(どかた)橋」とも称された東(あずま)橋。震災で焼失し、復興事業として架け替えられた

ルも崩壊し、併せて100人以上の死者を出しました。その山下町の中でも、最も被害が大きかったのが、「南京町」と呼ばれていた中国人街でした。中国総領事館の建物も倒壊し、その後、焼失しました。長福総領事以下7名が圧死しています。

「建物の多くは古い脆弱な煉瓦造りで、軒先が突き合ふほどに密集していた。全町の建物は第一震で、目茶々々に粉砕されてしまった。続いて火災は八方から起こった」[A]

伊藤泉美『関東大震災と横浜華僑社会』[B]は、中国人の死者数について、中国側の報告では1700人[C]、日本側[D]では2011人としていることを紹介しています。人数に開きがありますが、「家族構成なども被害者の調査が可能であり、さらに実際遺体の収容にあたり記録を残したという点からも、横浜総領事館の数値が実態に近い」と記しています。

当時の横浜市在住の中国人の人口についても、総領事館によれば5721人、日本側の調査によれば4800人と差がありますが、伊藤は、領事館の調査は出身省別、居住地別の詳細な数値もあるのでこちらが実態に近いだろうと考えています。いずれにしろ、人口の3分の1以上が死亡しているわけで、華僑の人びとは震災によって甚大な被害を受けたと言えるでしょう。瓦礫の山となった街から遺体を収容することは、すぐには困難でした。中華会館と神阪華僑救済団による遺体発掘は9月25日から始まり、1カ月余りで982体の遺体を掘り出しています。

9月1日、倒壊と火災を生き延びた華僑たちは、横浜港内に停泊する日本郵船の汽船「アジア号」に避難しました。『大正大震火災誌』によれば、中国人の海上避難者は1111人、新山下町、本牧の志成学校などの陸上避難者は1000人です。

▼A 『横浜市震災誌第二冊』102頁

▼B 『横浜開港資料館紀要』第15号、1997年9月

▼C 代理総領事孫士傑報告『中華民国十二年九月一日横浜大震災中之華僑状況』

▼D 臨時震災救護事務局神奈川支部

先述の伊藤論文には、広東省出身で中華街に住んでいた梁好の回顧談▼Eが紹介されています。そこには、横浜公園に避難した中国人は日本人から水も食料も分けてもらえなかったこと、しかし中国人船員が来て、華僑400人を船に誘導してくれたこと、日本人船員は彼らの下船を要求したが、中国人船員がストライキも辞さずと抵抗し、横浜中華総商会会長の温徳林が1人40円の運賃を支払うと船長を説得したことなどが記されています。

彼らはそのまま船で神戸や上海に避難しました。9月6日の時点で新山下の埋立地に残っていたのは584人で、ほとんどが船を待つ人々だったと言います。ただし、船で避難できたのは「南京町」に暮らす華僑の人たちです。これに対して、中国人労働者たちは東海道を北上して東京に避難しようとしました。彼らにとって東京の大島町や三河島が日本における拠点であり、知人や縁者がそこにいたからです。

「大島町事件」と虐殺被害者の名簿

中国人労働者の多くは京浜臨海部の工業地で働いていました。「南京町」が震災で壊滅し、華僑が多くの死者を出したのに対し、労働者が住む神奈川町、子安町では火災は広がらず、高島町、浅間町、中村町も焼失地域の端に位置していました。したがって、地震と火災による死者は比較的少なかったと思われます。

しかし、生活基盤の弱い出かせぎ労働者であり、支援を受けることもない彼らは、震災を生き延びたにもかかわらず、迫害と虐殺の犠牲者となってしまったのです。労働者たちの一部は、横浜の警察に保護収容されました。警察史料では、神奈川署で

▼E『国華時報』1923年9月28日記載

235名、戸部署で数十名が保護されたとされています。鶴見署[A]でも約70名が署内に保護収容されました。また一部は、東京に逃れ着いた後に、陸軍によって習志野収容所に移送されています。しかし保護されず、安全な場所に逃れることもできなかった人々が、横浜市内の避難場所で、あるいは避難に向かう途上で虐殺されました。

中国人被害者については、先述した通り被害者名簿が作成され『日本震災惨殺華僑案』にまとめられています。名簿作成の経緯にも、前述の王希天と「僑日共済会」の存在が関係しています。そこで、いったん横浜を離れて、中国人労働者の拠点である東京・大島町で起きた「大島町事件」と王希天の殺害事件について説明しておきましょう。

大島町事件は、震災2日後の9月3日、東京府南葛飾郡大島町（現在の東京都江東区大島・既出）で、群衆と警察、軍隊によって多くの中国人が虐殺された事件です。日本側と中国側に史料が残されており、犠牲者が数百人に及ぶのは間違いありません。最も早い日本側の報告は、9月6日の臨時震災救護事務局の警備部で報告された「警視庁広瀬外事課長直話[B]」です。

「支那人及朝鮮人三百名乃至四百名三回に亘り銃殺及撲殺せられたり」としています。

大島町は先述のように中国人労働者の集住地でした。この日、大島町八丁目の広場に中国人労働者たちは集められ、軍隊、警察、自警団[C]によって虐殺されました。関与した軍隊は、野戦重砲兵第一連隊第二中隊岩波清貞少尉以下69名と騎兵第十四連隊三浦孝三少尉以下11名でした。この八丁目の広場の虐殺が最大規模ですが、八丁目以外の大島町各所で中国人が虐殺されています。

虐殺自体の様相は、様々な史料から明らかになっています。しかしなぜ、軍隊、警察

▼A 当時は横浜市外

▼B 「外務省・殺傷事件文書」『仁木・史料集』127頁

と多くの民衆がこのような大規模の虐殺を行ったのかは、断片的な事実から推測することしかできません。この虐殺について調べ、『震災下の中国人虐殺』▼D にまとめた仁木ふみ子氏は、虐殺の背景に人夫請負人▼E たちの意図があったと推測しています。震災前、彼らは日本人より安く働く中国人労働者を目障りに思い、排斥運動を展開していました。ここには、日中の労働者が衝突した横浜の高島町事件と同じ構図があります。大島町では労働ブローカーたちが、朝鮮人虐殺で騒然としている状況に便乗して、軍や警察の協力も取りつけながら中国人労働者を計画的に虐殺したのだと、仁木氏は見ています。

9月12日には、僑日共済会会長の王希天は軍人に斬殺されます。震災後、神田で留学生の救済にあたっていた王は、その3日前、労働者の状況を確認するために大島町に来ました。しかしすぐに軍隊に拘束され、12日未明、殺害されたのです。軍は王の殺害を徹底的に隠蔽しました。真相が明らかになったのは半世紀以上後の1980年代のことです。その後、東京周辺の中国人労働者は朝鮮人とともに習志野収容所に集められました。最大収容は9月17日の4771名▼F です。そして、9月末より中国への送還が始まります。

王希天の親友が始めた虐殺被害者名簿の作成

このとき、上海で帰還した中国人労働者から聞き取り調査を行い、400人以上が殺傷されたことを明らかにしたのは、王希天の親友で、僑日共済会で活動していた王兆澄です。王兆澄は、王希天と名古屋の第八高等学校時代に知り合い、僑日共済会結

▼C 青年団及在郷軍人団員

▼D 青木書店1993年

▼E 労働ブローカー

▼F 朝鮮人3079名、中国人1692名

成後はその名古屋支部を組織しています。1923年、東大農学部入学とともに東京に移り、僑日共済会の総務長となって王希天と活動を共にします。関東大震災直後には小石川で襲われ、頭部に負傷しながらも、行方不明となった王希天の捜索に大島町、亀戸署、憲兵司令部、また中国人労働者の収容された習志野を訪ねるなど、奔走しました。その過程で、王希天が殺されたことを確信し、また多くの労働者が虐殺されたことを知ります。

習志野の中国人労働者の送還が始まると、王は労働者になりすまして、神戸を発つ「山城丸」への乗船に成功し、船中の臨検を逃れながら労働者たちと接触します。10月12日に船が上海に到着すると、難民委員会を組織し、精力的に中国人迫害・虐殺被害者の名簿を作成しました。名簿には、氏名、年齢、原籍、震災時の住所、そして、いつ・どこで・誰に・どんな凶器で、どんな被害を受けたのか、また目撃者・証言者の氏名も記されていました。10月14日、上海の各新聞はこの調査結果を「日人惨殺華工之鉄証」として報道します。王は調査を続け、数度にわたってその結果を発表しました。最終的に、王の調査では殺傷された被害者数は420人となりました。

王兆澄の発表は、それまで日本の災害に同情的な関心を寄せていた中国の世論に衝撃を与えました。その後、甌海道尹（知事）による再調査や駐日領事館の調査を加えて、虐殺被害者数は約700人と集計されます。

真相解明と被害者救済を求める声が中国政府を動かします。中国政府は前国家総理の王正廷を代表とする調査団を東京に派遣するとともに、日本政府へ厳重抗議し、「加害者の公表・処罰、被害者遺族に対する救恤、在日中国人の安全保障」を要求したのです。こうして中国人虐殺は、一時期、日中政府間の外交問題となりました。賠償交渉に対して、日本政府は責任者の処罰なしの「支那人傷害事件慰藉金支出」を内閣で決定します。内容は、被害者1人に対して300円、王希天1万円、財産被害8000円、計20万円というものでしたが、結局、実現せずに終わりました。

王兆澄が発表したものに始まり、全部で十数種類が作成された虐殺被害者名簿は、その後、中国外交部の「日本震災惨殺華僑案」という資料集にまとめられました。それぞれの名簿には、名前のダブリや誤記があり、異同があります。それらを比較検討して正しく確定していく必要がありますが、それは今後の課題として残されています。

横浜の中国人虐殺の実態

これらの名簿の中には、横浜における被害者も含まれています。先述したように、横浜の中国人虐殺については日本側の公文書がほとんどなく、被害者の名前や出身、被害状況を記したこれらの名簿は、貴重な手がかりです。

『仁木・史料集』の名簿は▼A、被害者の全体を把握できるように「日本震災惨殺華僑案」から3つの名簿を載せています。一つは、王兆澄の名簿を基本にした「日人惨殺温處僑胞調査表▼B」です。次に温州・処州以外の被害者名簿▼Cがあります。この二つで被害者総数669人▼Dとなり、被害者のほぼ全体をカバーしたことになります。そして、温州の県別被害人及び家族調査があり、被害者の多かった温州の被害者の家族状況を知ることができます。

この名簿から横浜方面▼Eの被害者をまとめると、表2のようになります。

▼A 625〜707頁

▼B 温州旅滬同郷会の名簿

▼C 駐日中国公使館調、中国外交部王正廷調

▼D 被殺者569人、受傷者87人、不明者13人

▼E 神奈川県域を含む

・横浜方面の被害者数は、被殺者72人、受傷者23人、不明2人の計98人です。
・被害者98人のうち温州、処州出身者が80人(約8割)となっています。
・虐殺のピークは9月2日、3日で、4日からは激減します。
・虐殺地は、確定できるものは約半数。▼A
・主な虐殺地は子安町、神奈川町字神明町です。
・加害者は民衆、労働者が多いが、警察や軍隊によるものもあります。

また、暴行・殺害に使用された凶器は主に「刀、槍棒、火鈎、鉄棍、木棍、脚刀」で、それによる被害が「頭上四洞　左肩左腿刀傷甚重」「下顎一洞　可以漏水」「棍棒乱打」「殴死」「用刀殺死　頭頸　及左脇三傷」「受傷甚重　死於水中」「頭脳腹下乱刀殺死」と記されています。文字を負うだけでも、残酷なありさまが見えてきます。

◉虐殺被害者名簿を読む

神明町の虐殺

中国人虐殺事件を明らかにしようとした王兆澄が、上海に向かう山城丸の船内で出会ったのは、横浜で受傷した労働者でした。王國章、葉清福、馬岩昌、張順祿の4人です。彼らは横浜から負傷しながら東京へ避難し、軍隊によって習志野へ収容され、10月12日に上海に帰還したのでした。

王國章と葉清福は同郷(青田県高岡)で、震災時には横浜市高島町にいました。地震後、

▼A　帰還者の多くは出稼ぎ労働者であり、必ずしも横浜の地名をよく知っているわけではなかった

【表2】中国人被害者名簿の整理表

D 被害者数

	名簿記載総数（人）				神奈川県・横浜市（人）			
	総数	被殺者	受傷者	不明者	総数	被殺者	受傷者	不明者
温州同郷会	612	552	59	1	80	62	18	—
温処以外	57	17	28	12	18	10	5	3
計	669	569	87	13	98	72	23	3

E 日付別殺傷者数

1日	2日	3日	4日	6日	不明	計
1	25	61	2	1	8	98

F 神奈川・横浜の中国人被害者98人の分類

		被害者総数	加害者													
			民衆							警察	軍警		軍隊			不明
			50							1	13		8			26
			日本人	労働者	商人	青年団	自警団	消防夫	浪人	警察軍隊	軍警・労働者	軍警	陸軍労働者	陸軍	海軍	
		98	4	35	2	5	2	1	1	1	1	12	4	1	3	
鶴見川崎	川崎	2		1												1
	鶴見	1	1													
	潮田	1														1
	横浜東京間	2														2
	鶴見東京間	1				1										
市北部	子安町	19		8		2						2	1			6
	神明町	15		11								4				
	横浜駅	3														3
	西戸部	2														2
中央部南部	英輪埠頭	3													3	
	山下橋海岸	1	1													
	箕輪下	2					2									
	小港・小港船内	2														2
	中村町	1														1
その他	横浜工場	1							1							
	横浜陳万川	2		1									1			
	横浜山上	3			2									1		
	神奈川県山上	4										2	2			
	横浜・横浜市	14	2	4		1				1		2				4
	神奈川・県	14		10		1					1	2				
	土肥村	1														1
	湯河原	4						1								3

東京へ向かった9月3日、神明町で「軍警」に襲われます。王國章は、左腿と後頭部に刀傷を負い、葉清福は棍棒で頭と背中を打たれ、左肩と右肩に刀傷を負います。この時、葉清福は進喜が軍警によって殺されるのを目撃しました。上海に帰還した葉裕珍は、神明町で労働者に襲われ重傷を負っていました。頭と肩に重傷、下顎は「一洞、可以漏水」（下あごに穴が開いて、水が漏れる漏れる状態）という大けがでした。そして、265円もの大金を奪われていました。

加害者の「軍警」が何を指しているのか、実は明確ではありません。単純に「軍隊と警察」ではないようです。なぜなら、「2日昼」「2日午後2時」といった、横浜に軍隊が来ていない時期の殺傷事件にも登場するからです。また、名簿では、兵士の場合は「陸軍」「海軍」、警察は「警察」と明確に書いてあります。私は現時点では、「軍警」は在郷軍人のことではないかと考えています。軍隊でも警察でもなく、また民衆とは異なる服装の者と考えると、軍服を着た在郷軍人の可能性が高いと思うからです。

虐殺地となった神明町は東神奈川駅の近くで、現在の東神奈川二丁目の一部になります。町の中央を京浜電車[A]が走り、仲木戸駅があります。神明社、能満寺、慈雲寺、東光寺が東海道に沿ってあり、埋立地の千若町とは千若橋、村雨橋でつながっています。『神奈川県社会事業形成史』[B]には、大正時代の底辺地帯として神明町が紹介され、「台湾長屋」があったと書かれています。

「神明町[C]には長屋70〜80戸があり、主として人足稼業、紙屑拾い、飴売、立ちん坊、その他雑業者が集中した。これに近い慈雲寺裏の台湾長屋[D]にも、1日10銭から15

▼A　現在の京浜急行

▼B　芹沢勇：神奈川新聞社、1986年

▼C　東神奈川駅付近

▼D　神奈川小学校付近

銭の麻つなぎやハンケチ内職でその日を送るものがおおかった」▼E

項月將は神明町で受傷しながら上海に帰還した一人です。震災時の住所は「神明町713中華商店」でした。中国人が暮らすようになった神明町には、彼らに必要な品物を扱う中華商店ができていたのです。

項月將は9月2日晩、神明町で陳竹仙が刀や棍棒を持った日本の労働者に殺され、25円を奪われるのを目撃します。そして3日晩、中華商店は襲われます。刀、棍棒を持った日本の労働者に、徐定勲は中華商店で殺され、王巖典は鉄道線路まで逃げたところを殺され、金進飛は道路辺で殺されました。項月將は受傷しながら、徐、王、金が殺害されるのを目撃しました。項は37円、徐は80円と中国貨幣16元、王は中国貨幣117元を奪われています。

神明町におけるその他の被殺者には、王巖福が報告する3人（2日晩に殺害：王沛藩、王作林、鄭正芝）と、呉振明の報告の2人（3日晩に殺害：王挺抑、呉漢寶）がいます。加害者はいずれも刀や棍棒を持った日本の労働者たちでした。殺害された10人のうち進喜以外の9人は、「温州の家族調査」で確認できます。5人は結婚しており、5人の妻と4人の幼児が残されたことが分かります。神明町から避難途上で殺害された人も名簿から知ることができます。王雲山は、東京へ向かった3日、子安町で殺されました。また、徐芝庭は3日、神明町から東京・砂町に戻ったところを「乱刀殺死」されています。

▼E 同127頁

就労禁止報告にも名前が出てくる犠牲者たち

虐殺被害者名簿には、先に紹介した神奈川県知事の就労禁止報告にあった8人の名前が出てきます。知事報告と被害者名簿を照らし合わせると、表3のように中国人労働者の横浜での足取りが少しだけ見えてきます。

張欽柳と張庚堯の原籍は共に浙江省温州で、1921年7月に大阪に上陸しています。その後、東京・三河島の中国料理兼雑貨商「大原号」で傘などの行商に従事していました。しかし不景気で売れ行きが悪く、1922年1月に横浜に移ります。そして、横浜市浅間町の田内若次郎方に部屋を借りて、スタンダード石油会社で石油運搬や石炭積み降ろしなどの労働をして賃金を得るようになりました。

同年3月、2人を含む12人の中国人に対して就労禁止命令が出ます。彼らは「今後は本国から雨傘などを取り寄せて行商にあたる」と申し立てたようですが、県側は「行動を監視中」とまとめています。張欽柳と張庚堯の2人は、同年8月にも就業禁止命令を受けています。張庚堯の住所は神奈川町字平尾前の木賃宿坂下屋に変わっていますが、張欽柳の住所は変わっていません。仕事も以前と同じスタンダード石油会社の石油荷揚をしています。

さらに1年後、震災時に2人はやはり横浜にいたのです。スタンダード石油で就労していたのかもしれません。虐殺被害者名簿によれば、張欽柳は「30円と衣服」を持っていたとあります。殺されたのが3日ですから、地震のあとに家から貴重品や所持金を持ちだして避難する途中だったのではないでしょうか。避難先は拠点としていた東京の三河島でしょう。しかし出発して間もなく、彼らは日本の労働者が手にする日本刀や

【表3】知事報告1～4と中国人被害者名簿

『仁木・史料集』816~852頁

知事報告1　1922年3月　住所:浅間町1000番地田内若次郎方 12人
仕事:スタンダード石油会社の石油運搬、石炭積み下し

- 中華料理兼雑貨商「大原号」(東京府下三河島)に止宿し、傘と石細工類の行商をした。
- 1922年1月26日、横浜へ来て、浅間町の田内若次郎方を月20円の家賃で借り、スタンダード石油会社の石油運搬、石炭積み卸しの仕事で1日2円ないし3円の賃金を得ている。
- この業務は明治32年勅令に反するものなので禁止した。彼らは今後本国より雨傘、石細工類を取り寄せ行商にあたると申し立てたので行動を監視中である。

	被害日時	場所	被害状況	加害者	兇器	災前住所
張欽柳	9月3日午後	神奈川県	死	軍警、労働者	刀棍、鉄棍	
張庚堯	9月3日午後	神奈川県	死	労働者	刀棍	

知事報告2　1922年3月　住所:桜木町6ノ53　30人
仕事:東海運送会社(横浜市相生町)人夫世話役橋本榮太郎の指図で石炭運搬夫

- 1921年3月12日、大阪に上陸し雨傘と石細工などの行商を行い、その後上京した。
- 東京:林正寶方(東京府下三河島)に止宿した。その後、北海道で行商。
- 東京:楊柱奎方(東京府下大島町)に止宿し行商。売れ行きが悪いので横浜へ。
- 横浜:1922年2月26日から東海運送会社(横浜市相生町)人夫世話役橋本榮太郎の指図で日給2円50銭を得て石炭運搬夫として従事した。
- この業務は勅令第352号に反するので禁止した。帰国すると称するので行動を監視中。

	被害日時	場所	被害状況	加害者	兇器	
麻良青	9月3日	大島町6丁目	死	労働者		

知事報告3　1922年3月　住所:中村町木賃宿花屋　43人
仕事:行商の間、本牧町、神奈川方面の海岸埋立地で土木、運搬夫等に従事

- 木賃宿花屋こと漆原ウメ方(横浜市中村町)に投宿滞在。傘、石細工、漢薬等を行商と称しているが、本牧町または神奈川方面海岸埋立地で土木、運搬夫等に従事している。
- 直に就業中止を命じ引き続き取締り中である。

	被害日時	場所	被害状況	加害者	兇器	災前住所
裘克軒	9月2日	英輪碼頭	死(縄吊)	海軍水手		中村町花屋本店

知事報告4　1922年8月 スタンダード石油貯庫で石油荷揚
神奈川町字平尾前・木賃宿坂下屋30人 (張庚堯、張嘉有、林日明、張錫照　張錢敏)
浅間町・田内若次郎方35人(張欽柳)神奈川町字平尾前の30名について

- 行商をしていたが、8月19日スタンダート石油貯庫において石油荷揚に従事したことが判明した。また、呉裕昌ら14人は7月3日から8月18日までに合計1272円を二ッ谷郵便局から上海の林紹利宛に送金したことも判明した。
- この金は雨傘を注文したもので品物が到着するのを待って行商するつもりで、その間労働に従事したと申し立てたが、断然これを禁止し、諭告の上帰国をすすめた。

浅間町の35名について

- 行商をしてはいるが、いつ労働に従事するかわからないので、厳密に注意し視察中である。

	被害日時	場所	被害状況	加害者	兇器	災前住所
張庚堯	9月3日午後	神奈川県	死	労働者	刀棍	
張嘉有	9月2日午後	横浜山上	死	商人	鉄棍	横浜子安
林日明	9月3日	大島町8丁目	死	労働者		東京・大島町
張錫照	9月3日	神奈川県	死	労働者	鉄棍	神奈川県
張錢敏	9月3日	横浜	死	労働者	槍棍	横浜
張欽柳	9月3日午後	神奈川県	死	軍警、労働者	刀棍、鉄棍	

梶棒で命を奪われてしまったのです。

「海軍水手」による税関波止場の虐殺

『震災下の中国人虐殺』[A]には「税関波止場で、日本の水兵によって5人がロープでつるされ、3人死亡、2人は寿署の説得で助かった。この5人は中村町の花屋旅館に泊っていた者たちで、この日、救援米をもらいに行ったところ、こいつは朝鮮人だとつかまり吊るされたのである」[B]とあります。

これは、王兆澄たちが作成した最初の名簿『日人惨殺温處僑工調査表』[C]に基づいた記述です。ほぼ同内容の記載が、中国政府の王正廷調査団がまとめた名簿「附件17号被害華工調査清冊四本」[D]にもありますから、信憑性の高いもののように思います。

この税関波止場の虐殺は、海軍兵士が直接手を下した虐殺の記録です。海軍陸戦隊が「朝鮮人暴動」流言を信じていたこと、「不逞朝鮮人防圧」に出動したことは、海軍や警察の記録からも分かっています。しかし、海軍兵士の直接関与を示す資料は他にありませんでした。虐殺現場の税関波止場（「英輪碼頭」）は、海軍陸戦隊の警備地域と一致しています。2日に到着した海軍は陸戦隊を港付近に上陸させ、その夜は市内巡視を行っています。海軍による警備が本格化するのは3日です。軍艦「山城」が3日正午に入港し、すでに到着していた軍艦「五十鈴」を指揮下において横浜警備にあたります。陸戦隊本部は新山下町、兵員は山城2個小隊80名、五十鈴1個小隊20名、「市官憲及陸軍と協議の結果、山下町、久保山方面警戒に任ず」とあります。税関桟橋が海軍の警備地域であったことは間違いありません。

[A] 仁木ふみ子：青木書店、1993年
[B] 64頁
[C] 1923年11月に中国政府外交部へ提出
[D] 1924年1月31日

そうした中で、虐殺被害者名簿に記されたこの記録は、海軍兵士たちが、どのような姿勢で中国人、朝鮮人に対していたのかをはっきりと示す史料だと言えるでしょう。被害者の住所として記されている「花屋本店」は、中村町に実在した木賃宿で、朝鮮人・中国人労働者が利用したことが当時の史料から確かめられます。この宿はまた、山口正憲らによって組織された「横浜仲士同盟会」の拠点が置かれたところでもあります。中村町の東橋の周辺には、「土工」や「仲士」が宿泊するこうした木賃宿が多数ありました。花屋本店はその一つです。

中国人労働者を助けた寿署の警察官

殺害された3人のなかに「裘克軒」の名前があります。その名前は前述の就業禁止の県知事報告にも出てきます。1922年3月に、「木賃宿花屋こと漆原ウメ方（中村町1339番地）に投宿」し、「行商の間、本牧町または神奈川方面海岸埋立地で土木、運搬夫等に従事」していた43名の一人です。彼は、震災時にも中村町の花屋に投宿し、仕事をしていたことになります。

虐殺の現場となった税関波止場は、多くの避難民が物資を求めて殺到した「税関倉庫」の近くです。安河内知事は陸軍、海軍に対し15カ所の警備を依頼しました。その一つに、食糧品倉庫所在地として「横浜税関三菱倉庫」が挙げられています。虐殺犠牲者名簿（表4）に登場する海軍兵士たちは、その倉庫警備に配置された兵士だと思われます。それを合わせて考えると、「中村警察の取りなしで死を免れた」という一文も興味深く思えます。「中村警察」は、中村町を管轄とする寿署の警察官のことでしょう。中国人をロープで吊るし、さらには殺そうとする海軍兵士を説得して、中国人を助けたというのです。

なぜこの警察官は、中国人を助けたのでしょうか。確かなことはわかりませんが、幾つかのことは想像できます。裘克軒らは知事報告の通り、中村町の木賃宿をたびたび使っていますから、地元の人々や警察官からも「不逞者」とは見なされていなかったのではないでしょうか。朝鮮人ではなく、中国人だという言い方も海軍兵士には通用したのかも知れません。

もう一つ興味深いのは、寿署の警察官がなぜ管轄外の税関波止場にいたのかということです。「花屋」のあった東橋周辺、中村川沿いの一帯は焼失し、寿警察署も地域の人々とともに南部丘陵地帯に避難し、そこに仮警察署を置いたことは2章でお話ししました。同署も潰滅的な被害を受けていました。『大正大震火災誌』に収められた寿署の

【表4】税関波止場の虐殺を伝える名簿資料

名簿 《日本震災惨殺華僑案第1冊》『日人惨殺温處僑工調査表』

1　民国12(1923)年11月8日、温州旅滬同郷会の会長黄潮初が外交部へ提出。
2　1923年10月12日、上海に帰国した王兆澄が入港する送還者から聞き取り調査
　「僑日共済会総務部長王兆澄と温處災僑代表陳協豊等16人の調査報告」とある。
3　総数369人。内訳は死者289人、負傷者36人、行衛不明44人。

氏名	年齢	被害状況			災前住所	付記
裘廷朝	27	2日 英輪碼頭	縄吊 打死	海軍水手	横浜中村町 花屋本店	徐俊興報告
裘克軒	34	2日 英輪碼頭	縄吊 打死	海軍水手	横浜中村町 花屋本店	徐俊興報告
周岩興	27	2日 英輪碼頭	縄吊 打死	海軍水手	横浜中村町 花屋本店	徐俊興報告
李鳳針	27	2日 英輪碼頭 分領賑未	縄吊	海軍水手	横浜中村町 花屋本店	徐俊卿報告(住青田四都小山嶺) 因中村警察之説項方免於死 (中村警察の取りなしで死を免れた)
周正恩	28	2日 英輪碼頭 分領賑未	縄吊	海軍水手	横浜中村町 花屋本店	徐俊卿報告(住青田四都小山嶺) 因中村警察之説項方免於死 (中村警察の取りなしで死を免れた)

※名簿によって記載内容に異同があります。殺害された日が3日となっている名簿もあります。
※別名簿には5人の原籍が載っています。全員浙江省青田県です。

報告には「署員また常に飢餓に瀕せり」とあります。食糧を求めて税関倉庫に殺到した人の中には、中村町の人びともいたでしょう。寿署の警察官も、彼らとともに倉庫に来ていたのかもしれません。

「華僑」の虐殺もあった

ここまで、殺されたのはその多くが労働者だったと書いてきました。しかし、「南京町の華僑」に虐殺の犠牲者がいなかったのではありません。先に紹介した留学生・黄迦凡の虐殺報告が伝える唐宝たち2人は、「南京町の華僑」です。虐殺被害者名簿[A]には、次のような華僑の被害が記録されています。

唐宝(27歳)。広東香山の人。以前、横浜の「品珍号」に雇われ、地震前は日本人の家で執事を務めていた。9月2日午前9時、横浜箕輪下で日本人によって電柱に縛られ、とび口でリンチされて殺された。同時にもう一人、姓名不詳の広東籍華僑同胞も殺された。目撃者の黄承業兄弟二人の話によると、犯行現場には大勢の日本人がいて見ていた。殺人者の毒手にかかるのを恐れて、華人は現場に近づくことはできなかった。

黄文登(40歳)。広東香山の人。横浜で医者をしており、「鴻源号」に住んでいた。9月2日、山下橋海岸で、日本人に手足を縛られて海に投げられて溺死した。黄彩璧が目撃した。

阿十(姓は不明)。広東人で横浜均安泰の店員だった。9月3日、小港の海上の船

▼A 広東省の同郷会報告書

に避難していた時、火をつけてタバコを吸ったのを日本人が見つけ撲殺された。

9月3日、横浜山下橋で華僑5人の中一人が華服を着ていないという理由で、日本憲兵に銃殺された。姓名はいまだ調べ出せていない。横浜、川崎付近でも華人が殺されたが、姓名、人数を調べ出せていない。避難した難民たちの話では、山下橋付近で殺された華僑が多かったというが、その時は皆、自分の命を守ることに精一杯で、助けを呼ぶ力が残っていなかった――。

横浜の中国人虐殺――残されたままの課題

横浜の中国人虐殺問題は、100年間取り残されて来た問題です。関東大震災の翌年、中華民国の顧維鈞外交総長は、特命全権公使の芳澤謙吉に対し、中国人虐殺事件への抗議と要請の文書▼Aを送っています。日本政府に対して犯人の厳重処罰と公表、被害者家族の救恤、在日中国人の安全保障を要請したことで知られる文書ですが、その前段の抗議の部分にも注目すべきです。

抗議は、王正廷の調査による被害者名簿を添えて行われています。中国人虐殺は大島町事件、王希天事件、そして「横浜及其付近ニ於ケル支那労働者殺害事件」の3項目あり、その事実を認めるよう厳重抗議したのです。

日本政府の方針は「徹底的に隠蔽するの外なし▼B」、「朝鮮人と誤認したるに因るもの▼C」でしたが、顧外交総長の文書には「誤殺に帰することはできない」とはっきり書いています。

顧外交総長の抗議から約100年たちました。3項目のうち大島町事件、王希天事

▼A　1924年2月25日付
▼B　五大臣会議の決定　1923年11月7日
▼C　司法省資料

件は1970年代以降の資料の発掘、研究の進展によって、その全貌が明らかになっています。しかし、横浜方面の中国人虐殺の解明は、取り残されたままです。取り組むべき課題にすらなっていないように思います。

横浜方面の被害者数は、『仁木・史料集』の名簿[D]では98人、王正廷の調査団報告では74人となっています。また伊藤泉美氏は、十数種類の名簿を検討して、神奈川県・横浜市の被害者を被殺者95人、受傷者28人、計123人としています。[E]

横浜で約100人の中国人が殺傷されたのです。その規模から見ても、無視できない問題であることが分かります。この章では横浜の虐殺の概要を示した後、中国人労働者の置かれていた状況を述べ、虐殺被害者名簿と労働禁止の知事報告との照合や神明町の虐殺に焦点を合わせて、殺された中国人労働者一人一人の具体的な姿を明らかにしようとしました。横浜の中国人虐殺という残されてきた問題に対して、あまりにささやかな記述ですが、この一歩の先には、取り組むべき大きな課題があります。

まず「日本震災惨殺華僑案」に収められた十数種類の名簿の検討です。記録の異同を検討して、確定することです。横浜方面の被害者の約半数は、「横浜」「神奈川県」という曖昧な地名で、横浜市のどこなのかは確定できていません。名簿の曖昧さは、中国人虐殺の記憶すら残っていない現状では、虐殺のリアリティを弱めます。

そして地域に刻まれた中国人労働者の虐殺、生活の痕跡を見出すことです。間違いなく中国人労働者はこの横浜で暮らし、仕事をしていました。そして、関東大震災時に、約100人が殺傷され、300余人が警察署に収容保護されたのです。神明町の「台湾長屋」、神明町713番地の「中華商店」、子安町・子安市場の中国人の商店と手がかり

▼D　625～707頁

▼E　「関東大震災と横浜華僑社会」『横浜開港資料館紀要第15号』1997年

となるものが挙がっています。また「善行」という形ながらも、中国人を庇護した金子為吉[▼A]や岩井寛治[▼B]の話もあります。

断片的ながらも伝えられたこれらの手がかりから、殺傷された中国人の痕跡を刻んだ資料にたどり着くことが、今後の取り組むべき課題だと考えます。

▼A　第1章で紹介
▼B　第4章で紹介

【研究ノート余録4】

戒厳軍の「日誌」に記された「岩崎山」の虐殺

２０１３年夏に横浜都市発展記念館の「関東大震災」展示会で、『神奈川方面警備部隊法務部日誌』（以下、『法務部日誌』）が初めて市民に公開されました。これにより、横浜における軍の行動について、それまで分からなかったことが見えてきました。

『法務部日誌』は、戒厳令によって横浜へ派遣された神奈川方面警備部隊（神奈川警備隊）の法務部の業務日誌です。法務部に勤務する法務官の鈴木忠純が書いています。神奈川警備隊には陸軍法務官の鈴木と録事の天童正男が配属されていました。

陸軍法務官とは、法曹資格をもった法律の専門家で、軍人ではなく文官です。軍隊の法律上の諮問に答えたり、軍法会議で検事や判士（裁判官）を務めます。

この『法務部日誌』は、鈴木が神奈川警備隊司令部に配属された9月3日から原所属復帰する10月30日までの記録です。「陸軍」という印字が入った1枚22行の罫紙21枚に手書きで書き込まれています。日付ごとに、いつ、どこで、誰と会って打ち合わせや会議、報告をしたのかなどが列挙されています。ただし、会議や報告の内容までは書かれていません。

１１９件の箇条書きで構成されています。これを分類すると、神奈川警備隊司令部要員としての動きが18件、第一師団軍法会議検察官としての動きが16件、神奈川警備隊内の法務官としての動きが17件、警備地域の犯罪処理が33件、その他35件となります。

警備地域の犯罪処理の記録が多いのは、横浜では「軍法会議管轄の犯罪事項は一つもなく」、法務官は普通犯罪の検察業務を行ったからです。震災被害が劇甚であったため、法務官は検事局・県警察部と連携して「普通犯罪事項の検察事務を掌りよく時宜に適したる処置」をとったとあります（「関東戒厳司令部詳報」『関東大震災政府陸海軍関係史料Ⅱ巻』157〜158頁、日本経済評論社、1997年）。

この『法務部日誌』から明らかになったことがいくつもあります。中でも特に注目すべきものが、三つあります。

一つ目は、寿警察署の警察官が軍隊に逮捕されたことが確認できたことです。罪名は強盗未遂、あるいは持兇器哨兵暴行容疑。この逮捕は当時、山口正憲の横浜震災救護団の略奪事件の一つとして新聞で報道されていました（横浜貿易新報9月13日付、報知新聞10月14日付）。しかし報道のみでは、確かな事実かどうか分からないままでした。

ところが、『法務部日誌』の9月10日には、確かに、歩兵57連隊が中村町で寿署の巡査を捕らえ、取り調べの後で神奈川県警察部に引き渡したとありました。これに関連して、『憲兵業務の概要』（『市震災誌第四冊』111頁）にも、該当する事件の記録がありました（ただし、逮捕されたのが警察官であることは伏せられています）。

こうして、警察官逮捕の事実が『法務部日誌』『憲兵業務の概要』という公的記録によって裏づけられたのです。同時に、寿署の警察官の逮捕という事実が、軍と警察によって隠蔽されていたことも分かります。

二つ目は、神奈川警備隊が9月末までに朝鮮人犯罪と朝鮮人虐殺事件について調査し、報告書を提出していたという事実です。つまり、陸軍省法務局が朝鮮人虐殺事件の調査報告を作成していた可能性があるということです。

鈴木法務官は9月19日に「朝鮮人に関する事件調査報告書の提出」を神奈川警備隊の各部隊に通達し、22日には、朝鮮人犯罪捜査について検事と長時間の打ち合せをしています。打ち合せのメンバーは鈴木法務官、平岡潤一大尉、植木鎮夫憲兵長、横浜地裁の滝川秀雄次席検事、東京控訴院の乙骨半二検事、石塚揆一検事の6人でした。

そして同30日には、陸軍省法務局長の山田法務官と、関東戒厳司令部付の湯原司法事務官に「朝鮮人に対する迫害に関する報告」を提出したとあります。

現存する朝鮮人虐殺事件の調査報告には、内務省(警察)と司法省(検事)のものがあります。前者は『震災後ノ警備一班(未定稿)』(内務省警保局警務課、1923年)、後者は『震災後に於ける刑事事犯及之に関聯する事項調査書』(司法省、同年)として伝わっています。

しかし『法務部日誌』は、内務省や司法省とは別に陸軍省法務局による調査報告が存在していたことを伝えています。陸軍省が把握した朝鮮人虐殺事件の報告書です。しかし報告書そのものは今も見つかっていません。今後の発見が期待されます。

三つ目は、法務官と憲兵長が「岩崎山鮮人虐殺の跡」を視察していることです。以下のようにあります。

10月4日　横浜市青木町栗田谷岩崎山鮮人虐殺の跡を視察したり
5日　陸軍法務官鈴木忠純は憲兵長植木鎮夫と共に横浜市青木町栗田谷岩崎山に到り再び鮮人虐殺の跡を視察し憲兵長と種々打合を為したり(原文・カナまじり文)

「岩崎山」とは、初めて聞く虐殺地でした。他の虐殺証言や史料にも出ていない地名です。まず「岩崎山」

がどこなのか、すぐには分かりませんでした。「栗田谷の岩崎山」と聞いて、その場所が分かる人は、今ではほとんどいなくなっています。

調査の結果、江戸時代からの有力者、岩崎治郎吉の邸宅のある一角、権現山の東部であることが分かりました。『横浜市震災誌第二冊』でも、「幸ヶ谷と栗田谷の一部」という地域分けがなされており、「栗田谷の一部は俗に岩崎山と称えられ」と記されていました（172頁）。

岩崎山でどのような虐殺が行われていたのでしょうか。その内容は記されていません。法務官が二度にわたって視察し、二度目は憲兵長が同行して「種々打合」をしていますから、特異な虐殺があったことが窺えます。視察が行われたのは、警察・検事による虐殺事件の捜査、検挙が始まる直前です（横浜の捜査開始は10月10日過ぎ）。そして、警察・検事がこの岩崎山の事件を捜査や起訴の対象にした記録はありません。

横浜開港資料館の吉田律人氏は、「一般犯罪に対処する警察や検事ではなく、憲兵や法務官が動いている点から朝鮮人の迫害・殺傷事件に軍人が関与した可能性も考えられる」と指摘しています（吉田律人『関東大震災と陸軍法務官の活動』横浜開港資料館紀要第32号、2014年3月）。

吉田氏の指摘する通り、「軍隊による虐殺」の可能性はあります。しかし、『法務部日誌』の記述だけで「軍隊による虐殺」と断定することはできません。なぜなら、岩崎山の虐殺に関する証言も記録も、何一つ見出されていないからです。

また法務官、憲兵は、軍人の関与した事件のみを扱っていたわけではありません。特に神奈川警備隊の法務官、憲兵は、先述したように「普通犯罪の捜査、検察事務」を行っていました。神奈川警備隊が9月14日に行った「鮮人の暴行に関する実跡調査報告」（『市震災誌第四冊』34〜36頁、112頁）は、「朝鮮人の犯罪」をまとめたもので、「朝鮮人の暴行」のほとんどはあいまいなものですが、その中に4件の朝鮮人虐殺が認められます。磯子、北方町、市立石川小学校前、中村町横浜植木会社で起きたものですが、いずれも軍人が関与した事件ではありません。

岩崎山で、一体どのような虐殺があったのでしょうか。吉野作造が朝鮮罹災同胞慰問班の報告をもとに書いた「神奈川鉄橋」で「500余名」が虐殺されたという記述や、『中国人虐殺被害者名簿』にある「神奈川山上」「横浜山上」での虐殺との関連も検討したいところです。しかし、何よりも今の課題は、法務官視察の意味を探り、岩崎山に関する証言や資料を見出すことにあります。即断せずに、慎重に事実を明らかにしていかなくてはいけません。

第5章

「9月2日」を追悼する

第1節　虐殺は裁かれなかった

何人の朝鮮人が殺されたのか

　前章まで見てきたように、完全に治安が崩壊した横浜では、至るところで朝鮮人・中国人の虐殺が行われました。横浜市や神奈川県警察部も、そのことは否定していません。横浜全域で虐殺が激しく行われたことを認めています。

　横浜市が公刊した『横浜市震災誌第四冊』（1927年）は、「第1日の夜、根岸方面に於て既に暴動浮説が生れて、翌2日からは全市近郷隈なく暴状を呈し、暴民による殺害を見、大なる不祥事を惹起するに至った」と記し、神奈川県警察部の『大正大震火災誌』（1926年）は、「翌2日よりは更に流言蜚語は増大して部民は竹槍、刀剣を持して警備に任じつつあるも、不節制なる自警団の暴行は時と共に激烈を加へ時々鬨声（ときのこえ）を揚げて鮮人を追ふ等殆んど戦時状態の如き観を呈せり」としています。当時、戸部警察署の署長を務めていた遠藤至道が後にまとめた記録『補天石』には、「到るところ血腥（ちなまぐさ）き殺傷事件を惹起したことは、世人の知悉してゐる事実である」と書かれています。

　しかし、これらの本には、それ以上の具体的なことは書かれていません。朝鮮人の殺傷事件についてまとめた公文書としては、司法省の「（秘）震災後に於ける刑事事犯及之に関聯する事項調査書」（以下「司法省報告」）があります。そこには、刑事事件として起訴された朝鮮人殺傷事件53件が掲載されています。その中に含まれている朝鮮人被殺者数は233人です。念のために書き添えておけば、これはあくまで起訴されて、裁判となったものだけであり、震災時の混乱を考えれば実際の殺傷事件の全てではないのは明らかです。また後述しますが、当時の日本政府は、朝鮮人殺傷事件での検挙を限定する方針を取り、把握している事件についてさえ、すべては検挙しませんでした。あのとき、関東一円で、いったい何人の朝鮮人が殺されたのか、分からないままです。

神奈川県、特に虐殺がひどかった横浜はどうでしょうか。この報告書に記載されている神奈川県内の殺傷事件はたった6件です。さらに横浜市内に限ると日本人誤認事件1件のみで、朝鮮人・中国人の事件は1件もありません。前章まで見て来たように、数多くの証言があり、横浜市当局も「全市近郷隈なく暴状を呈し、暴民による殺害を見」たと書いていることを思えば、信じがたい少なさです。

警察がまとめた虐殺犠牲者数

横浜でいったい、何人の朝鮮人が殺されたのか。それを解明する上でカギとなる史料があります。内務省警保局警務課「大正十二年九月　震災後ノ警備一班（未定稿）」です。国立公文書館アジア歴史資料センターに保管されていることを最近になって知りました。その中に、「震災ニ伴フ朝鮮人ノ被害数調書（十一月調）」「震災ニ伴フ朝鮮人殺傷事件犯罪調（十一月調）」という二つの表組みがあります。前出の司法省報告とほぼ同時期にまとめられたものと思われます。起訴された事件に限った被害者数ではなく、「被害数調書」として「殺害」「傷害」の被害者数を記録しています。「未定稿」とあるので、警察内部で制作途中のものであり、結局、外部に示されなかったものと思われます。以下、この二つの表組みを「警務課史料・未定稿」と呼びます。

この「警務課史料・未定稿」によって、警察（内務省）が把握していた朝鮮人殺傷事件の規模が明らかになりました。8府県で144件、朝鮮人被害者は499人（被殺422人、受傷77人）。そのうち犯人を検挙した事件は64件で、388人を検挙しています。朝鮮人被害者が多いのは東京、神奈川、埼玉、千葉の4府県で、被殺者は399人。全体の94・5％に当たります。この4府県は戒厳令が施行された府県でもあります。警察が把握していた事件に対して、犯人が検挙された事件の割合は全体で44・4％（64件／144件）。半数にも達していません。殺人事件では34・77％、傷害事件は30・4％と、さらに低くなっています。警察保護下の朝鮮人を襲った騒擾事件は、埼玉、群馬、千葉の三県で15件ありますが、それらについてはすべての事件で犯人が検挙されています。

この史料が示しているのは事件の件数と犠牲者数だけで、事件の具体的な内容は不明です。警察がどんな事件を把握していたのか、半数以上が未検挙事件なのですから、あらためてその解明に当たる必要があります。

私が注目したのは、「警務課史料・未定稿」では、8府県のなかで神奈川県が事件数（59件）と被殺者数（145人）ともに最多であることです。これまでも、神奈川県、特に横浜は最も早く流言・虐殺の始まった地域であるとともに、最も虐殺が激しく行われた地域だったと言われてきましたが、「警務課史料・未定稿」によって、神奈川県の朝鮮人虐殺事件が最多であることがはっきりしました。もちろんこれはあくまでも警察が把握していた事件数と被殺者数ですから、実際はもっと多いはずです。

「警務課史料・未定稿」の神奈川県の被殺者数145名という数字は、当時の新聞報道にも警察発表として反映しています。震災から1カ月半後の10月20日、差し止めになっていた虐殺関連の記事が解禁となり、新聞各紙は朝鮮人虐殺について一斉に報道しました。10月22日付の報知新聞は、「10月21日の神奈川県警察部の発表」として以下のように報じています。

「虐殺されたものの数は神奈川県警察部の調査では約150名で外に内地人（注：日本人）が50名以上もある模様で、場所は既報の中村橋付近、北方、神奈川方面で、一方犯罪行為のない鮮人750名を神奈川、鶴見、川崎、戸部、山手、寿の各警察署に収容保護を加へたが、中には某警察署を取り囲みその前で虐殺した事件もある」

各新聞の10月21日の記事から虐殺数を見ると以下のようになります。

報知：神奈川県下200余名（横浜140名、神奈川50余名、鶴見8名、川崎4名）
東京日日：神奈川県下163名で身元の大部分は不明であるが、半数は日本人らしい。
国民：横浜では日鮮人150名殺される。
東京朝日：神奈川県150名。
読売：横浜で殺された鮮人百四五十名に上る、間違へて殺された邦人三十余名。

最も多い数字を挙げているのは報知新聞で、「横浜140名、神奈川50余名」「朝鮮人約150名、内地人50名以上」としています。『警務課史料・未定稿』から分かるもうひとつは、他の府県と比べて、神奈川県で犯人が検挙された事件が極端に少ないということです。警察が把握していた59件のうち、検挙されたのはわずか3件です。

虐殺事件の捜査開始までの動き

なぜ、横浜で犯人検挙、起訴に至る事件が極端に少なかったのか。そのことは、なぜ横浜で朝鮮人虐殺事件が多かったのかという問いとともに、虐殺事件の歴史研究にとって解明しなくてはならない課題です。ここからは、そのことに焦点を絞って掘り下げてみましょう。

先に紹介した司法省報告は、当時は非公開でしたが、今日ではよく知られた史料です。その中には、朝鮮人・中国人の殺傷事件、そして日本人が誤殺された事件で加害者が起訴された事件が、それぞれ一覧表にまとめられて掲載されています。戒厳令が解かれた11月15日時点で作成されたものですが、単なる件数や人数だけでなく、個々の事件の概要が簡単に記されています。

加害者が起訴され、裁判になった事件だけがまとめられているので、虐殺事件の全貌を示すものではありません。また、自警団による殺傷事件のみが示されており、軍隊・警察による殺傷事件は入っていません。この調査書の第4章「鮮人を殺傷したる事犯」、第5章「鮮人と誤認して内地人を殺傷したる事犯」、第6章「支那人を殺傷したる事犯」から、事件数と被害者人員数を示すと【表1】のようになります。

【表1】司法省報告—起訴事件

司法省「(秘)震災後に於ける刑事事犯及之に関聯する事項調査書」には、加害者が起訴された事件の報告が載っています。第4章「鮮人を殺傷したる事犯」、第5章「鮮人と誤認して内地人を殺傷したる事犯」、第6章「支那人を殺傷したる事犯」から作成しました。

府県名	朝鮮人殺傷事件				中国人殺傷事件				内地人殺傷事件				殺傷事件総数	
	件数	被害者数			件数	被害者数			件数	被害者数			件数	被害者総数
		総数	死亡	傷害		総数	死亡	傷害		総数	死亡	傷害		
東京	28	66	39	27	2	4	1	3	20	35	25	10	50	105
神奈川	2	2	2		1	3	2	1	3	5	4	1	6	10
千葉	12	87	74	13					10	25	20	5	22	112
埼玉	5	95	94	1					1	2	1	1	6	97
群馬	1	18	18						6	11	4	7	7	29
栃木	5	7	6	1	1	1		1	4	9	2	7	10	17
茨城									1	1	1		1	1
福島									1	1	1		1	1
合計	53	275	233	42	4	8	3	5	46	89	58	31	103	372

神奈川県の起訴事件6件

	日時	場所	事件概要
朝鮮人殺傷	9月4日 夜	橘樹郡田島町字渡田	同居先より連出し路上短刀にて刺殺
	9月4日 午前7時半頃	橘樹郡鶴見町本山前通り	棍棒等を以て交々殴打殺害す
中国人	9月4日 正午頃	足柄下郡土肥村	棍棒、鳶口等を以て殺害す
日本人誤認事件	9月2日 午後12時	橘樹郡川崎町小土呂	猟銃を以て殺害し外1名に傷害
	9月4日 正午頃	横浜市堀之内町	棒を以て殴打殺害す
	9月3日 午前10時頃	高座郡茅ヶ崎町梅田橋附近	日本刀を以て殺害す

憲政会神奈川県支部書記吉野菊四郎は9月4日正午頃、不逞のものと怪しまれ中村町自警団に引き渡された。友人の岩本常信氏が身分を証明したが聞き入れられず殺害された。被害者の妻子が9月21日、検事局に告訴した。犯人二人は10月14日逮捕。逃走していた主犯は呉市で逮捕され、12月4日に横浜へ連行された。

* 被害者の身元がはっきりしている。憲政会（のちの民政党。横浜では政友会よりも勢力があった政党）の県書記。
* 友人の岩本氏が殺害を目撃。
* 家族が検事局に告訴。

一見して分かることは、神奈川県内の事件が極端に少ないことです。横浜市内に限ると、日本人誤殺事件1件のみで、朝鮮人・中国人殺害事件は1件もありません。そして、この唯一起訴された日本人誤認事件(堀之内町事件)は、しっかりした目撃証人がおり、被害者遺族の告訴によって立件されたものです。

日本政府の臨時震災救護事務局警備部内に設けられた司法委員会は、9月11日に騒擾・殺傷事件[A]に対する検挙方針を決定しています。[B]その中で重要なのは以下の3点です。

① 殺傷事件を放置しない。しかし、情状酌量すべき点があるので、全員検挙ではなく顕著な者のみに限定する。

② 検挙の時期は慎重に判断する。人心が安定しないうちは着手せず、ただ証拠の保全につとめ、検事は検挙開始については司法省の指揮を待つ。

③ 検挙は警察官憲が行う。警察権の行使に反抗する者があるときのみ、軍隊が警察官憲を援助するという間接行動をとる。

この方針は、虐殺事件に対する政府の姿勢をよく現しています。「顕著な者に限定して検挙する」というのでは、虐殺事件の徹底解明や実行者の処罰を最初から諦めているようなものです。そして、「人心安定後の検挙」「警察による検挙」という方針に沿えば、治安が崩壊し警察が機能していなかった横浜では、その検挙は大幅に遅れ、事件解明はますます困難になるでしょう。

▼A 朝鮮人あるいは誤認殺傷事件

▼B 「関東戒厳司令部詳報第三巻」『関東大震災政府陸海軍関係史料II巻』日本経済評論社、1997年 153〜155頁

司法委員会は検挙開始の時期を、群馬県・埼玉県・千葉県は9月19日、東京は10月2日と決定し、それに従って実行しています。朝鮮人を収容保護した警察署や警察官が襲われるといった騒擾事件のあった群馬県（藤岡署事件）、埼玉県（本庄署事件など）、千葉県（木更津署事件など）から検挙が始められたことが分かります。神奈川県の検挙開始日は記載されていませんが、新聞記事で確認してみると、10月半ばからと最も遅かったことが分かります。▼C

- **[読売10・10横浜特信]** 神奈川県刑事課では震災時の殺人強盗放火等の重罪犯人捜査中であったが、9日朝それらの犯人が鶴見川崎方面に潜伏しているのをつきとめ、島川保安課長が部下数名を率いて自動車で急行、同課山口警部も7名の刑事を連れて東京方面に出動した。
- **[読売10・17横浜特信]**「○○を虐殺して横浜自警団員捕はる　川崎署でも重大犯2名」「○○虐殺事件に警察官も加るか」（「○○」は「鮮人」。朝鮮人虐殺記事が10月20日まで差し止められていたため）。記事中には、県警察部が裁判所と協力して活動を開始したとあります。
- **[時事新報10・17]**「横浜憲兵市内分遣署が目下、各警察署と協力して何事か大活動中であり、それは極秘裡に附しているが、自警団員多数の震災当時の重大犯罪らしい」
- **[報知10・17]**「巡査と囚人と自警団が一緒になって殺人／死体は全部火中に投じた／横浜の暴行事件発覚」

▼C　出典はすべて山田昭次編『朝鮮人虐殺関連新聞報道史料』緑蔭書房

虐殺事件捜査開始に至るまでの治安当局の動き

9月4日、横浜に上陸した陸軍の戒厳部隊である神奈川警備隊が目の当たりにしたのは、横浜の惨状と治安が崩壊した状況でした。司令官の奥平俊蔵少将は、放置されたままの遺体や平然と凶器を携帯し横行する民衆、白昼公然と行われる略奪を見て、「騒擾の原因は不逞日本人にある」「警察官は全く無力となり地方の治安維持に関し何等の威厳を有せず」と記しています。

神奈川警備隊は県市当局に対して、市民の武器携帯禁止、死体の取り片付け、交通修復の3点が急務だと伝えるとともに、治安回復のために普通犯罪の取り締まりに積極的に取り組む方針を取りました。

憲兵大尉の植木鎮夫隊長の談に「最初憲兵隊の任務は単に横浜警察官応援の目的に止まってゐたのであったが、実地に臨んで見れば大なる救急の事項が其他に逼迫せることが知れた。是に於て最初の予定任務を変更し…警備隊より30名の補助憲兵を求め市内要所の警備に充てた」とあります。[▼A]

「憲兵業務の概要」[▼B]を見ると、焼け跡の金庫などを狙った略奪が続き、憲兵が繰り返し現場に急行しています。

【9月4日】横浜正金銀行内に徘徊せる窃盗容疑邦人2名に対し説諭放還。
【9月5日】強窃盗其他各種の犯人横行し、殆ど無警察の状態なるを以て、軍隊の配置を懇望するに依り、警備隊参謀に其の旨報告す。

▼A『市震災誌第4冊』107頁
▼B『市震災誌第4冊』109〜115頁

[9月6日]伊勢佐木町興信銀行内には群集約60名侵入し、金庫を破壊せんとしつつあるを現認し、説諭の上放還す。伊勢佐木町通り興信銀行及左右田銀行の金庫を破壊し或は破壊中なるを現認、7名を取調の上説諭し放還す。／正金銀行内焼金庫中より現金掠奪したもの4名に対し、説諭の上証拠品と共に神奈川警察署に引渡したり。

[9月7日]税関金庫内に於て窃盗を為さんとするもの3名現認。説諭上放還。

[9月8日]税関倉庫内より鉄板を窃盗、運搬中のもの2名現認説諭する。税関倉庫の被害頻発するを以て上等兵3名詰切警戒。

県警察部の西坂勝人課長はその「震災警備日誌」の中で、9月9日の日付で「伊勢町附近一帯には、自警的個人の警戒はなくなり、街頭に初めて婦人の笑声が聞こえる」と記しています。▼C

この日は、新たな軍隊の増派▼Dや兵庫県からの応援警察約130名が到着した当日でした。また品川・横浜間の鉄道が開通し(7日)、街頭の死体処理も進む▼Eなど、復旧作業も進んでいます。全線潰滅していた警察電話も、9月4日に神奈川署に、11日〜14日までには戸部署、伊勢佐木町署、加賀町署、水上署、山手本町署、寿署にと、市内全署で復活しました。警察署収容の朝鮮人約700名の華山丸収容(9日〜)、囚人約300名の名古屋刑務所移送(9日)、山口正憲の震災救護団検挙(10日)と、人心不安の要因を除去しながら警察力の回復を待ち、治安維持を図ろうとしたのです。

こうした状況の変化を受けて、森岡警察部長は9日、市内の警察署長を召集し、こ

▼C 『神奈川県下の大震火災と警察』189頁

▼D 歩兵第36連隊第三大隊、歩兵第5連隊

▼E 9日、陸上における可見的の死体は大部分取片付け了せり：『横浜市日報』1923年9月12日付

れまでの「手心を加ふるの止むなき状態」から「断然検挙主義」への転換を訓示します。これ以降、憲兵と警察が協力して一斉捜査を行うようになり、大量の盗品・銃器の回収、凶器の没収とともに多くの人を検挙していきます。

神奈川県警察部がまとめた『大正大震火災誌』は、「盗品を掠奪したものたちが恐怖し、盗品を避難校舎又は広場、道路等に投棄して犯跡を蔽はんとするもの続出し、青年団、自警団員は、放棄盗品を荷車に山積して警察署に運搬したが、中には自ら盗品を放棄しながら恰(あたか)も拾得した如く装ひ、1カ年後の報労下附を期待して届出づる者もあったので、各警察署では盗品の拾得に対しては権利放棄の上収受することにした」と記しています。▼A

また、11月15日までの戒厳令施行中に検挙した者は殺人10件17人、強盗9件13人、窃盗1382件1466人、その他の犯罪を合わせて1730件、1900人に達したとあります。震災から1カ月を経て、ようやく警察の体制が立て直され、機能するようになったのです。政府方針の「人心安定後の警察による検挙」という態勢が整ったことで、10月半ばから虐殺事件の捜査が開始されます。

ところで、こうした捜査が開始されるまでの期間、虐殺事件の調査や証拠保全などの準備はどの程度行われていたのでしょうか。現在のところ、警察部・検事局の動きは全く分かっていませんが、軍隊の動きはわずかに知ることができます。

神奈川警備隊（陸軍）による朝鮮人虐殺調査

神奈川警備隊は、横浜の朝鮮人虐殺に対する調査を9月末までに行っています。「神

▼A 『大正大震火災誌』365頁

奈川方面警備部隊法務部日誌」には、鈴木忠純法務官が「災害に基因する朝鮮人に関する事件調査報告書」の提出を神奈川警備隊の各部隊に求め（9月19日）、「鮮人犯罪捜査に関する件」について検事側と長時間打ち合せを行い（22日）、「鮮人に対する内地人迫害に関する件及犯罪容疑者報告」を陸軍省法務局に提出した（30日）とあります。また、鈴木法務官は10月4日に青木町栗田谷岩崎山の朝鮮人虐殺跡を視察し、翌5日には植木鎮夫憲兵隊長も同行して視察し、打ち合せを行っています。神奈川警備隊が朝鮮人虐殺事件の調査報告書を作成していたこと、栗田谷の岩崎山での虐殺現場を二度にわたり視察していたことは注目すべきことです（詳しくは第4章コラムを参照）。

神奈川警備隊が朝鮮人虐殺事件の調査報告書を作成していたことが明確になりましたが、報告書自体は見つかっていません。そのため、どのような事件を把握していたのかは不明です。しかし、神奈川警備隊の別史料から4件の虐殺事件が把握されていたことが判明します。神奈川警備隊の「鮮人の暴行に関する実跡調査報告」▼B。9月14日に行った「朝鮮人犯罪の調査報告」です。

警備隊調査報告には「横浜市南部に於ける鮮人暴行に関する件、別紙の通り取敢へず及報告候也、尚引続き調査中」とあり、調査途上であるとしています。南部とは本牧、山手、中村、根岸、磯子などの地域で、山手本町警察署、寿警察署の管轄地です。ここには歩兵第57連隊が配置されました。この調査報告は題名のとおり「朝鮮人の犯罪」を記録したものです。しかし「朝鮮人の犯罪」自体はあやふやなものがほとんどで、その一方で、挙げられた14件のうち4件は、よく読めば「朝鮮人の犯罪」ではなく「朝鮮人殺害事件」なのです。

▼B　以下、警備隊調査報告）があります（『市震災誌第4冊』34～36頁

さらにそこには、その後に捜査を進めていれば実行者を特定し、起訴することが可能だったと思われる具体性があります。

Aは、「9月2日、磯子青年団が朝鮮人2名を捕縛し斬首した」事件。証言者は磯子青年団の団長で、加害者はその団員とあります。団長や団員を事情聴取すれば実行者はすぐに特定できたことでしょう。

Bは、「9月1日夜、北方町で市民が警官及在郷軍人と協力して朝鮮人4名を逮捕し殺害した」事件。「風評」とありますから、それも含めて調べる必要があったでしょう。幸いというべきか、殺害の協力者に「警官及在郷軍人」がいます。彼らを事情聴取すれば真相は明らかになったはずです。

Cは、「9月2日午後8時頃、中村町打越石川の石川小学校前道路で、群衆が朝鮮人1名を殺害した」事件。証言者が「中村町453の石塚亀太郎」とはっきりしています。

Dは、「9月3日夜、中村町の植木会社構内で、住民が朝鮮人1名を殴打、殺害した」事件。

実は、CとDの事件現場（石川小学校前道路、植木会社構内）は、どちらも寿署の仮庁舎（唐澤交番、植木会社）から数十メートルしか離れていない場所です。寿警察署のお膝元で起きた殺人事件なのです。寿警察署自身が状況を知っていた可能性があります。以上のように、軍によって4件の朝鮮人虐殺事件が具体的に報告されており、十分に立件に向けた捜査が可能であったのにもかかわらず、ついに捜査も犯人逮捕も行われなかったのです。

神奈川警備隊が犯罪捜査・検挙に直接関わったのは9月末までです。横浜の治安崩壊に対処するために採られた例外的な措置です。「関東戒厳司令部詳報」には、地震の被害が深刻だった横浜では検事局や警察がその能力を充分発揮できない状況だったため、軍の法務官は地方検事局・県警察部と連携を保ち、検事局を補佐して「普通犯罪事項の検察事務をつかさどりよく時宜に適したる処置」を採ったとあります。▼A

治安が回復した10月に入ると、警察・検事局が全面に立ち、神奈川警備隊は応援として後方に控える態勢になります。「神奈川警備隊法務部日誌」を見ると、裁判所や検事局との面会・打ち合せが9月は18回と連日のように行われていますが、10月はわずか2回（それも新任判事の挨拶）に激減します。同月半ばに始まった虐殺事件の捜査は、全面的に警察・検事局によって行われました。

捜査・起訴されたのはどのような事件だったのか

横浜の警察・検事局が「捜査した事件」にはどのようなものがあるのでしょう。また、捜査の結果、起訴された事件は、先述した「堀之内町事件（日本人誤殺）」以外にもあったのでしょうか。

「朝鮮人虐殺事件関係判決一覧」▼Bは、新聞記事から虐殺事件を抜き出したものです。そこから横浜市に該当するものを探ってみましょう。横浜市内で起訴された事件は6件にすぎません。そのうち朝鮮人虐殺事件は2件です。横浜市当局が「全市近郷隈なく暴状を呈し、暴民による殺害を見」▼Cたと記しているのに対してあまりに少数です。また6件の犠牲者は13名（うち朝鮮人が数名）です。「警務課史料・未定稿」に記載された朝鮮人被殺者数「145名」と比べて、あまりにも少数です。

▼A 『陸軍関係史料』日本経済評論社 157〜158頁

▼B 山田昭次編、『朝鮮人虐殺関連新聞報道史料別巻』緑蔭書房、2004年 257〜376頁

▼C 『横浜市震災誌』

起訴された6件を見ると、二つの特徴に気づきます。一つは、「告訴を受けて検挙・起訴した事件である」ことです。これらの事件のうち2件は告訴によるものです。そのうちの1件、朝鮮人を虐殺した「横浜公園グランド村事件」は、震災の約1年後、「グランド村▼A」の立ち退きをめぐって管理人と対立した住民が、加賀町署に訴え出たことから発覚したものです。住民にとって管理人が朝鮮人を手斧で殺害したことは周知の事実でした。横浜公園と言えば、震災当時は加賀町署が仮庁舎を置いていた場所です。加賀町署は事件発生当時からこれを知っていた可能性もあります。また、日本人誤認事件の「堀之内町事件」は、憲政会神奈川県支部書記が殺害され、その妻子が検事局に告訴したことから発覚したものです。

もう一つは、「被害者の身元が判明している事件である」ことです。加害者と被害者が同町内だったり、知人であったりします。日本人誤殺事件である「根岸町加曾事件」の加害者3名と被害者2名は、ともに根岸町の住民でした。被害者の身元はすぐに知れわたったはずです。「本牧町事件」は、日頃仲のよくなかった相手を殺害したものです。「久保町事件」の主犯と被害者も、同じ久保町の住民です。朝鮮人襲来の流言に対して凶器を持って警戒活動中に起こった事件ですが、殺害された者の身元はすぐに分かります。警察が放置するわけにはいかなかったのです。

こうしてみると、横浜の警察が捜査し、起訴したのは、被害者側から告訴を受けた事件か、あるいは被害者の身元が知れ渡っていた事件のみということになります。当事者・関係者から捜査を迫られた事件については捜査を進めたものの、それ以外の朝鮮人虐殺事件に対しては全く動かなかったのです。

▼A 横浜公園のグランドに設置された避難民のバラック

「久保町事件」の捜査の過程が典型的です。もともとは、「戸塚辺の鉄道工事に雇われていた朝鮮人30余名を包囲攻撃し、うち10名ほどを保土ヶ谷鉄道線路や久保山の山林内に埋め、または池中に沈めた」ということで久保町愛友青年会、在郷軍人会への捜査が始められました。▼B しかし、地方裁判所に送致されたのは、同じ町に住む日本人を殺害した事件だけでした。▼C

虐殺された朝鮮人、中国人の大部分は、避難の途上の出稼ぎ労働者でした。自警団にとってそのほとんどが「氏名、住所、身元不詳の人びと」です。殺害されても身元が分かる者はいません。告訴する人もいません。横浜の警察は、これら「身元不詳」の虐殺事件については、ついに一件も事件として捜査し、事実を解明しようとはしなかったのです。

横浜の警察は、なぜ虐殺事件の捜査・起訴に動こうとしなかったのか

横浜の警察は、朝鮮人・中国人虐殺事件について、ほとんど動こうとしませんでした。それは、陸軍の神奈川警備隊が調査し、具体的に把握していた事件についてさえ捜査しないほどに徹底していました。なぜ警察は虐殺事件の捜査に動こうとしなかったのでしょうか。

捜査が困難だったのは確かです。虐殺が集中した9月2日から4日にかけては、市内の警察は機能していませんでした。また捜査開始の時期が遅く、進んで証言する民衆も少なく、証拠保全が難しかったことも想像できます。しかし、それだけが理由でしょうか。10月17日付の読売新聞は、次のような記事を載せています。

▼B 東京日日新聞10月21日付
▼C 東京日日新聞11月22日付

「一方憲兵隊も全市の青年会、自警団の調査を始める等極度の緊張を示して居るが、漸次取調の進行に連れ事件の関係者は単に青年会のみでなく警察官中にもあるものの如く、其の為か目下各警察署中には極度の不安に襲われてゐるものもある」

虐殺事件に関わった者の中には警察官もおり、各警察署には取り調べを恐れて「極度の不安」に襲われている警察官たちがいるというのです。実際、先述した警備隊調査報告に記載された虐殺事件4件のうち2件は、警察の関与が疑われます。北方町の虐殺では市民、在郷軍人とともに警察官が協力しています。植木会社の虐殺は3日夜ですが、その時植木会社には寿警察の仮庁舎が設置されていました。市内には「警察から『朝鮮人殺害さしつかえなし』の布告が出ている」という風評が広がっていました。それは、実際の警察官の行動がそう思わせるものだったからです。憲兵隊の調査に対して寿警察署長は、この風評が警察官の行動から生み出されたことを否定していません。虐殺事件の裁判となれば、警察官の関与が明らかになる可能性があり、それを恐れていたのではないでしょうか。

山口正憲の裁判もまた警察の虐殺関与を出さないように進行していたように思えます。あれほど「朝鮮人流言の出所、虐殺を実行した」と騒がれた山口でしたが、裁判では流言、虐殺との関係は一切問われませんでした。裁判は、山口たちの食糧などの調達が「強盗罪」に当たるか否かの一点で争われました。そして判決は、山口たち幹部のほとんどが執行猶予というものでした。

山口たちと寿警察署は共に、植木会社を拠点としていました。両者は互いに相手が何をしたのかを知っていたはずです。山口たちの虐殺を問えば、寿警察署の虐殺関与も明らかになってしまった可能性があります。寿署の出志久保警部(署長代理)は山口たちのために裁判所へ上申書を提出し、公判でも被告を擁護する証言をしています。警察は山口ら被告を擁護し、お互いに虐殺には触れないという、暗黙の了解があったのかもしれません。

1924年6月24日の公判でのエピソードは、そのような「了解」があったことをうかがわせます。出廷した寿署の大谷巡査が、「山口(正憲)は略奪を呼びかけていた」と証言しました。被告に不利な証言をしたのです。すると被告たちが怒り、「寿署の警官が署内で多数の朝鮮人を殺したのを実見した」と騒ぎ出します。これは、先のような暗黙の「了解」を大谷巡査が破ったことへの反発だったのではないでしょうか。

虐殺事件を明らかにすれば警察官の関与という事実が明るみになる。官憲が把握していた虐殺事件すらほとんど起訴しなかったのは、それを恐れたからではないか――状況を踏まえれば、検討に値する推論ではないかと考えます。もちろん、確かな事実が少ない中で「解釈」を急ぐことは慎むべきです。史料発掘と事実の探求こそが大きな課題であることに変わりはありません。

第2節　追悼を続けた李誠七と村尾履吉

以上のように、内務省が把握していた数だけでも約150人、恐らくはもっと多くの朝鮮人が虐殺されたにもかかわらず、横浜の朝鮮人虐殺はほとんど裁かれることはありませんでした。警察は捜査をせず、真相究明もないまま、すべてはうやむやにされてしまいました。

一方、それから1年後の1924年9月1日、朝鮮人500人、日本人1000余名を集めて朝鮮人の追悼会が行われたことを伝える新聞記事が残っています。「遭難鮮人のため盛大な法要執行」「内地人の同情をあつめて盛んなる朝鮮人追悼会」▼A、「天災にのがれ乍ら哀れ人災に殪（たお）れた鮮人の悲痛新し、漸やく寶生寺で追悼式」▼Bといった見出しが並んでいます。東京日日新聞は「横濱だけで大小百餘の追悼會が行はれた中で最もいたましかったのは堀の内寶生寺で行はれた縣下在住朝鮮人團主催の横死鮮人追悼會だった」としています。

「神奈川県朝鮮人法要会」という名前で挙行されたこの追悼会は、仏教式の法要という形式をとっていました。ですので「追悼会（ついとうえ）」と呼ぶべきなのかもしれません。この追悼会を実現したのは、李誠七（イソンチル）という一人の朝鮮人でした。

李誠七の歩み

李誠七について最初に調べたのは、大図健吾氏です。私は彼の「関東大震災時、虐殺朝鮮人慰霊事業についての覚え書：村尾履吉と李誠七のこと」▼Cを偶然に古本屋でみつけました。その後、民団神奈川県本部『関東大震災横浜記録』▼Dと坂井俊樹「虐殺された朝鮮人の追悼と社会事業の展開」▼Eが出版され、この追悼会をめぐる新聞記事や幅広い関係者への聞き取りが紹介されました。こうして、李誠七と、彼が執り行った朝鮮人追悼会の実像を明らかにする資料が、ある程度整いました。

李誠七は、1883年1月8日、全羅北道金堤郡竜地面長新里に生まれました。20

▼A 横濱貿易新報

▼B 東京日日新聞

▼C 『高校社会科の創造第1集』、神奈川県歴史教育者協議会横浜支部高校部会、1977年

▼D 1993年3月刊

▼E 『歴史評論』521号、歴史科学協議会編、1993年9月

歳のときにキリスト教の洗礼を受け、生涯、キリスト教の信仰を貫いています。30代半ばの1918年頃に、妻子を残して日本に渡りました。日本では大学で勉強するつもりだったが、生活に追われて果たせず、飯場で労働者に手紙など書いてやるなどしていたと言われています。その後も生涯、清貧のうちに暮らしています。

その彼にとって大きな転機となったのが、関東大震災でした。坂井俊樹氏が民団神奈川県本部の朴述祚氏から聞き取ったところによれば、李は当時のことについて、次のように話していたそうです。

「震災の時、百姓家に助けを求め、押し入れに中で一週間隠れていた。食事などはその百姓家に世話になった。一週間後、憲兵などが出て治安が落ち着き始めてから外へ出た。そして、惨殺された朝鮮人を着ているもので判断し、その遺体を農家から荷車を借り拾い集めた。死んだ人を共同で焼く所で一緒に焼いてもらい、骨は拾えないので位牌を作って持ち歩いていた」

李がそのように語ったという記録は、戦後のいくつかの記事や文章にも残されています。しかし、その内容を確かめ得るような具体的な事実はほとんどつかめていません。荷車を借りて遺体を拾い集めたといいますが、荷車を借りるのも大変な時だったことを思えば、相当に難しいことだったはずです。

また李は、戦後、新聞のコメントで朝鮮人への迫害が「2日午後5時」に始まったと語っています。第2章で見てきたように、南部の丘陵地帯で迫害・虐殺が始まるのは1日夜からのことですので、彼は横浜市の郊外あるいは周辺地域にいたのかもしれません。いずれにしろ、彼自身が危険にあい、多くの同胞の惨殺遺体を目撃したことが、一年後の追悼式典の実現へと彼を動かしたのです。

弾圧された「虐殺抗議」

李誠七が実現した追悼式典は、先の新聞記事で見たように盛大なものになりました。しかし当時、朝鮮人虐殺の犠牲者の追悼に対しては官憲が厳しい弾圧を加え、解散を命じられることもあったのは、よく知られている事実です。

例えば、1924年3月16日、朝鮮労働同盟、日本労働総同盟、自由労働聯盟など13団体の主催で、東京・雑司ケ谷の日華青年会館を会場に行われた「惨死者大追悼会」では、あらかじめ10数人の朝鮮人活動家が拘束された上、式典が始まってまもなく警察の妨害が始まりました。「各労働組合の弔辞にうつる頃より頻りに中止、中止と叫ばれ検束者を出し警官横暴の声は場内を圧した。かくて二時半頃九月一日を横死記念日とするといふ決議文を朗読せんとした刹那、二重作巣鴨署長は解散を命じたので、会衆は口々に警官の無理解を鳴らしたので、遂に左記十名は高田分署に検束された」[A]。

震災1年後の1924年9月13日には、東京・早稲田のスコットホールで「被虐殺朝鮮同胞記念追悼会」が、朝鮮基督教青年会、学友会、朝鮮労働同盟等の10団体の主催で行われます。「定刻前、既に在京鮮人男女学生八百余名で階上階下立錐の余地なき程であったが、其筋の眼が光ってビラの『被虐殺』云々の『虐』の一字を全部貼紙させる」とあります。[B]

「被服廠跡で○○された我同胞は其数三千二百」「私共は何等かの手段で復讐せねばならぬ」「吾々は同胞の霊に答へるやうな事をやらうではないか」といった演説は、こと

▼A　国民新聞同年3月17日付
▼B　読売新聞同年9月14日付

ごとく中止を命じられ、ついには私服警官２００人が会場内に殺到しました。この記事では「虐殺」の部分が「○○」と伏せ字となっています。権力は報道でも「虐殺」の文字を使わせなかったのです。

横浜では、１９２５年9月5日に金鶴儀[c]らが指導する横浜朝鮮合同労働会による「震災惨死者追悼会」が開かれ、朝鮮人労働者など60人が参加。「憤悼震災当時被虐殺五千之我同胞」「嗚呼震災当時被虐殺我同胞半島万諸霊位」「以生残同胞之憤涙吊被殺同胞」といった布を掲げましたが、金天海は演説中に中止を命じられ、さらには検束されています。この追悼会は翌年９月２日も開かれましたが、やはり演説の中止を命じられています。

１９２７年9月3日には神奈川朝鮮労働組合主催の「4周年記念追悼会」が開催されています。朝鮮人の労働団体によるこうした追悼会は、１９３０年頃まで開催されていたと思われますが、解散を命じられるなどの弾圧を受けました。

しかし実は、朝鮮人犠牲者に対する一切の追悼が否定されていたわけではありませんでした。虐殺への抗議を明確に掲げた追悼会が弾圧される一方で、朝鮮人の日本への同化を促す「内鮮融和」を志向する団体による追悼会は、体制の協力を得て、大きな規模でいくつか行なわれています。１９２３年10月28日には、東京・芝の増上寺で「朝鮮人遭難者追悼大法要会」が行われました。主催は作家の鄭然圭、仏教朝鮮協会、民衆仏教団などで、増上寺本堂には「朝鮮同胞殉難者諸霊」の白木の位牌に「朝鮮総督府をはじめ内務、外務両大臣、鮮銀、東拓、副島伯等からの花輪二、三十」がかざられ、「来賓としては、総督代理有吉政務総監、内務、外務、大蔵、逓信、文部各大臣代

[c] 後の金天海。１９４５年には在日朝鮮人連盟最高顧問就任

理、副島伯、堀内中将、井上角五郎、布施辰治の諸氏等約八百」、増上寺の道重管長を導師に13宗58派代表僧侶が参加する盛大な追悼会となりました。

報知新聞の見出し[A]は「同胞の死を悼む　鮮人が涙の弔辞　けさ増上寺に惨死者追悼会」。主催者の一人である鄭然圭が「故なく惨殺されてなほ訴ふるところもなき我同胞が三千の亡き霊」に「腸ちぎられる思ひの追悼の辞」を捧げたとあります。もっともこの法要では、司会者が鄭然圭の弔辞紹介を忘れて焼香に移り、同氏が焼香の途中に憤然と立ち上がってその非に抗議し、弔辞を読むという場面もありました。

同年12月27日には、融和団体の相愛会などの主催で東京・江戸川石切橋際の龍生ヶ淵において「鮮人殃死者追悼会」が行われました。形式は神道式でした。「朝鮮総督代理、美濃部朝鮮銀行総裁、東洋拓殖銀行総裁、国務大臣も来賓として参列」していま[B]す。1924年8月31日には、一周忌として、仏教朝鮮協会主催の法要が増上寺で「幣原外相、徳川家達公を始め首相代理、各国大使公使代理等数十名の名士」の参列で行われていま[C]す。また、相愛会主催の「遭難鮮人追悼会」は、9月14日に「日本橋区人形町の日鮮会館で開催され、京浜間の鮮人二千名が参列する」とありま[D]す。

李誠七の「神奈川県朝鮮人法要会」も、融和運動の中で、こうした体制の協力の下に開催したものだったのです。しかしそうであっても、彼がこの法要を実現するまでには並々ならぬ苦労がありました。

朝鮮人追悼法要会の実現まで

追悼会の翌日、東京日日新聞は次のように書いています。

▼A　1923年10月29日付
▼B　国民新聞同年12月28日付
▼C　国民新聞同年9月1日付
▼D　報知新聞同年9月11日付

「李誠七氏等は一カ月前から準備に奔走し、初め総持寺に持ち込んだが一言のもとにことはられ、あちらこちらと各寺院にあたつて見たが、心よく引受けてくれるところは一つもなかったので、一時途方にくれてゐたのを神奈川縣大震災法要会が聞込んで引き受け、同會の法要に先立つて午前九時から執行する事が出来たのだった」▼E

ほうぼうの寺に追悼会の話を持ち込んだが断られ、ようやく宝生寺が引き受けてくれたというのです。「一カ月前から」の準備は遅すぎる気がしますが、「初め総持寺に持ち込んだ」というところから、李が日本社会から認められる盛大な法要会を追求していたことがうかがえます。

総持寺は、鶴見町にある曹洞宗の総本山です。第3章で記したように、朝鮮人の当初の避難場所ともなりました。李は「あちらこちら」「県内すべての寺」に追悼会の話を持ち込んだと言いますが、実際には、本山など寺格の高い寺を訪ね歩いたのではないでしょうか。盛大な法要会を目指していた李は、それにふさわしい有力寺院を望んだのだと思います。

しかし最初に話を持ち込んだ総持寺には「一言のもとにことはられ」たといいます。その後も、いくつもの寺に持ちかけては断られてしまいました。最終的に引き受けてくれたのが、堀内町（現在の横浜市南区堀ノ内町）にある高野山真言宗の「宝生寺」でした。宝生寺は、1171（承安元）年に開創されたといわれる、横浜で一、二の古刹です。室町

▼E 日付 1924年9月2

時代初めに宮内卿僧都學尊法印が従持となると、50余寺の末寺を管掌する本寺となりました。

多くの寺院に断られた理由は、「朝鮮人の追悼法要」だからということもあったでしょうが、それだけではなかったと思われます。私は、震災当時の住職佐伯妙智氏の孫に当たる、佐伯真光住職に話を聞いたことがあります。真光住職は、「多くの寺は檀家の一周忌の法事があり、追悼会を引き受ける余裕がなかったのでしょう。この寺は50もの末寺を持つ中本山であったので、もともと檀家が少なかったのです。それで引き受けることができたのです」と話していました。その時は控えめな謙虚な言葉として聞いていましたが、今から思えば、お寺の実際を伝えるものでもありました。

多数の死者が出た大震災の一周忌です。当然ながら、多くの遺族が法要を求めていたはずです。そして、横浜市中心部の寺は焼失していましたし、寺は地域や関係団体の追悼会、檀家の一周忌の法事を抱えていました。有力な伝手(つて)がない限り、新たに朝鮮人法要会を受け入れることのできる寺は少なかったことでしょう。多くの寺が李の願いを断った背景には、このような事情もあったと思われます。

追悼会実現に尽力した手塚利明

李誠七は、宝生寺での追悼会が実現したのは手塚利明という人のおかげであったと話しています。

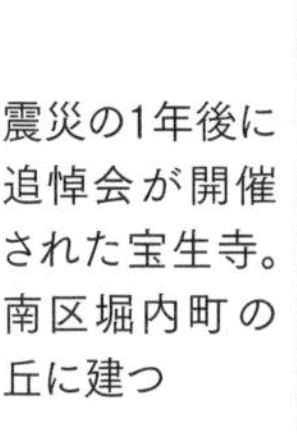

震災の1年後に追悼会が開催された宝生寺。南区堀内町の丘に建つ

「追悼法要を催そうとすれば、市内のお寺になぜか全部拒絶されたり苦難の連続でした。その時から手塚さんは私たちのよき代弁者となって、いろいろ面倒をみて下さったのです。追悼法要のお寺も手塚さんが骨を折って、住職が友人だという宝生寺に交渉、喜んで引受けてくれたので、毎年この寺で催して来ました」[A]

手塚利明は、1920年に横浜市に設けられた最初の方面委員の一人です。「方面委員」とは、生活困窮者の保護・救済・指導に当たる委員で、現在の民生委員の前身です。手塚は第二区[B]で方面委員を務めるなど、戦前、戦中を通して横浜の社会福祉、社会事業で活躍しました。「第二方面には…社会事業の知識をもつ手塚利明があり、手塚は雑誌〝社会事業〟への寄稿もある」[C]とあります。

手塚は、法要会に「横濱社会館館長代理」として参列しています。横浜社会館は米騒動を機に生まれた神奈川県匡済会[D]のセツルメント施設です。館長は左右田喜一郎、左右田銀行の跡取りですが、9年間のヨーロッパ留学をした経済哲学者で、社会問題への関心が高く、横浜社会問題研究所をつくり主宰しました。横浜社会館は労働者の宿泊所でもあり、朝鮮人労働者も利用しています。李自身も、1924年には「社会館宿泊」となっています。

手塚が仲介し、打診したことで、佐伯妙智住職が引き受け、宝生寺で朝鮮人追悼会が開催できることになりました。しかし、それだけではありません。宝生寺側の準備も整っていました。宝生寺は大震災の被災を免れ、「震死者記念の回向院」を建設し

▼A 神奈川新聞1952年9月2日付

▼B 浅間、戸部、藤棚など現在の西区と神奈川区の一部

▼C 『神奈川県社会事業形成史』

▼D 会長は知事、副会長は市長と商業会議所会頭

ていたのです。関東大震災のすべての死者を、宗派を越えて供養する場です。『市震災誌第二冊』には、「當町(堀内町)寶生寺の境内には、新に震災回向所假堂が建立された。これより先震災後、遭難者の冥福を祈る為めに横濱公園、其の他市内各町で塔婆や墓標を建てたが、復興に連れてそのままにして置くことも出来ないで、(大正)13年7月、神奈川縣大震災法要會の発起で有志の賛同を得、縣・市に於ける遭難者の回向所を寶生寺に建て墓標や塔婆等を納めたのであった」とあります。▼A

佐伯妙智住職が当時、震災のすべての犠牲者を供養することに対する強い意思を持って行動していたことが分かります。朝鮮人法要を受け入れる素地は十分にあったということです。先の『市震災誌第二冊』の文章は、続けて「(大正)13年9月1日、(回向院で)盛大な震災一周年の大法要を施行した」と記しています。宝生寺の回向院では、地震が起きた9月1日午前11時58分を期して、県と市の後援を受けた「神奈川県大震災法要会」が執り行われることになっていました。鎌倉円覚寺派の管長で大僧正の古川堯通禅師が大導師となり、各宗派の僧侶300余名が参列する、県内仏教界最大の震災法要でした。

手塚利明は、これらの事情を知った上で宝生寺と交渉に当たったのでしょう。それを受けて、宝生寺の佐伯妙智住職が神奈川県大震災法要会に働きかけ、朝鮮人法要会の開催を承認させました。神奈川県大震災法要会に先立つ時間帯の9時~10時に、回向院を会場に朝鮮人法要会が開催できるようにはかったのです。

「手塚さんが骨を折って、住職が友人だという宝生寺に交渉、喜んで引受けてくれたので、毎年この寺で催して来ました」と李が語るのは、このような経過を指していたの

▼A 125~126頁

です。佐伯妙智住職は、朝鮮人法要会の読経を引き受けました。

知事代理・市長代理も出席した追悼会

9月1日午前9時から、宝生寺の回向院で「神奈川県朝鮮人法要会」が盛大に行われました。その様子を伝える新聞記事は横浜貿易新報と東京日日新聞神奈川版の二つがあります[▼B]。ここでは、そのうち横浜貿易新報の全文をご紹介します。

> 内地人の同情をあつめて盛んなる朝鮮人追悼會／婦人聯合會の幹部連も参加
> 堀内町の寶生寺で
>
> 震災の當時多数罹災者の避難所となった堀内町の寶生寺境内は震災後震死者を弔う回向院建設地となったので此日各種の追悼會が同地に於て催された。就中（なかんずく）神奈川県朝鮮人法要會主催の追悼會は最も盛なるものであつたし、内地人の同情を深からしめたので會場は朝鮮人五百名に対し内地人千余名を見るに到つた。殊に婦人聯合會の幹部連が此會に参列したのはうるわしいシーンであつた。午前九時来賓、主催者、遺族一般、會員等着席、僧侶読経に次いで主催者及び神奈川縣震災大法要會代表の弔辞、知事代理、市長代理を初め村尾海軍大佐、長谷川壽署長、婦人聯合會代表二宮氏、社會館長代理手塚氏、朝鮮人苦学生代表者其他一般鮮人の焼香等あって式を終り、朝鮮人一同は震災當時眞先に鮮人の霊を弔ひ埋葬等に尽力した村尾海軍大佐の住宅に近き青木町三ツ澤の陽光院に赴き鮮人横死者の墓碑に参拝した。

▼B ともに1924年9月2日付

「神奈川県朝鮮人法要会」には、来賓として知事代理・市長代理・寿警察署長が出席しています。村尾履吉海軍大佐や二宮わか婦人聯合会代表、手塚利明横浜社会館長代理といった理解ある有力者たちの出席もありました。朝鮮人500人、日本人1000余人が参列する中で、知事、市長の追悼文が読まれました。東京日日新聞では、李誠七たち朝鮮人の「悲痛なる追悼文」が朗読されたことも記録されています。

「婦人聯合会代表」として登場する二宮わかは、メソジスト派の社会事業の中心として、相沢町、中村町の「貧民窟」で活動し、この地域の不就学児童のための学校を設立した人です。彼女が創設した横浜婦人慈善協会が他の女性団体と連合してできたのが、「婦人聯合会」でした。横浜貿易新報の別の記事によれば、この婦人聯合会が代表を派遣したのは、4つの追悼会です。横浜公園の大追悼会、山下町の中国人追悼会、外国人墓地での追悼会、そして宝生寺の朝鮮人追悼会です。同紙は、「四代表追悼会に各花輪を捧げ礼拝したのは時宜に適した企てであった」とも記しています。

また、この記事が掲載された9月2日付の横浜貿易新報は、60近くの追悼会が市内で行われたことを報じています。それらの追悼会のなかで、写真入りの記事が載っているのは5つのみです。県市聯合主催の横浜公園の大追悼会、横浜市主催の久保山の無縁仏墓前祭、山下町の中華民国人追悼会、山手の外国人墓地での追悼会、そして宝生寺の朝鮮人追悼会です。写真があるということは、記者が実際に出向いたということを意味しています。

東京日日新聞にも、「横浜だけで大小百餘の追悼會が行はれた中で最もいたましかったのは堀の内寶生寺で行はれた縣下在住朝鮮人團主催の横死鮮人追悼會だった」と記されています。また、横浜貿易新報は8月30日付の記事で、「市の官民側に於ても此催しに多大の援助を与へて居る」と伝えています。こうしたことから読み取れるのは、宝生寺の朝鮮人追悼会が、日本の権力の弾圧を受けたり、日本社会から指弾されることなく、それどころか神奈川県や横浜市の協力の下、「四代表追悼会」の一つと表現されるほど注目を集めるなかで盛大に行われたということです。

当時の記事には、「誤られたる流言の為め不幸の死を遂げた朝鮮人」「不慮の天災は辛うじて免れながら流言に禍されてあわれ異郷の鬼と消えうせた不幸の霊」といった文字が並びます。朝鮮人が殺されたことは、当時の市民には自明のことでした。したがって「不幸の死を遂げた」朝鮮人の追悼法要に対して「内地人の同情」は深く、「最もいたましい」追悼会と見なされたのです。

一方で、明確に「虐殺に抗議する」追悼会が弾圧されたことはすでに見てきたとおりです。李誠七が行った追悼会には、朝鮮人虐殺への抗議や真相解明の要求といった要素はありません。だからこそ、体制は協力的だったのです。

なぜ李はこうしたかたちで追悼会を行ったのでしょうか。その原点には、やはり彼の震災経験があります。李は、多くの同胞が虐殺されるのを目の当たりにしながら、何もできませんでした。「朝鮮人の遺体を集め、共同で焼く所で一緒に焼いてもらう」ことをしたといわれていますが、遺骨ひとつ拾うことはできず、埋葬も慰霊もできませんでした。「あの人は目の前で数百人殺されたが名前がわからない。その口惜しさ、哀れさが頭から離れない」。[A]

李を朝鮮人追悼会の実現へと突き動かしたのは、震災時、朝鮮人が殺され、しかも遺体が放置されていたことへの無念の思いです。朝鮮人は死んでも人間として扱われなかったのです。そうした思いを抱く彼が目指したのは、朝鮮人の死者が人として慰霊されること、とりわけ日本社会によって慰霊されることでした。葬ることさえできなかった朝鮮人死者を「日本社会の認める盛大な追悼会」をもって慰霊しなくてはならないと考えたのです。

クリスチャンであり、生涯、厳しい信仰に生きたと伝えられる李が、あえて仏教式の法要にこだわったのも、その思いからでしょう。「日本社会の認める盛大な追悼会」を実現しようと思えば、仏教寺院での追悼法要会でなければならなかったのです。

こうして、神奈川県や横浜市の協力を得て、各界の名士が参列する盛大な法要が実現しました。すでに書いたように、それは「虐殺」への「抗議」を行わないことが前提となっていました。法要の様子を伝える新聞の報道も、「流言に禍されてあわれ異郷の鬼と消えうせた不幸の霊」「遭難鮮人」「内地人の同情」といった曖昧（あいまい）な表現に終始しています。しかし法要を主催した李誠七の心の底にあった思いは、当然のことながら、そんな言葉で済むものではありませんでした。

位牌に書かれていた「九月二日」

李の本当の思いを垣間見る手掛かりとなるのが、法要で掲げられた位牌（木標）の文言です。ただし、位牌の様子を伝える写真や記録、確実な証言は見出されておらず、現状ではさまざまな要素を総合して推定するしかないのが実情です。勝手な思いこみにならぬよう自戒しなければなりません。

さて、今は失われた位牌について、歴史学者のねずまさしは「1924年の初回の法要に当たっての位牌には『虐殺』と明記してある」と書きました。▼B 特に根拠は示されていません。しかし私は、佐伯真光住職から「虐殺」という文字はなかったと聞いています。現時点では、どちらとも決定的なことは言えません。

私は、位牌には「虐殺」の文字はなかったと考えます。当時、多くの朝鮮人が殺されたことは誰もが知っていましたが、すでに見てきたように、それを「虐殺」と表現することは反発や権力の弾圧を覚悟せねばならないことでした。

李誠七は日本社会に受け入れられることを第一にして追悼会を考えました。李の意図と法要会の性格から考えても、「虐殺」と書いてあったとは考えにくい。また、位牌は法要で掲げられ、そのあと被災した各町の大塔婆150本とともに回向院に納められていました。現在と違って、位牌は多くの人の目に触れるかたちで置かれました。その点からも、「虐殺」の文字があったとは思えないのです。

では、位牌には何と書いてあったのでしょうか。内務省警保局の資料に、▼C 李誠七が1935年に震災時に朝鮮人を保護した櫻井染五郎の謝恩会を開いたことが記録されています。謝恩会の後、「一同は園長李誠七に伴はれ市掘の内回向院所在の殃死鮮人記念碑に参拝せり」と書かれています。文中に「殃死鮮人記念碑」とあるのが、位牌のことと思われます。「殃死（おうし）」は「横死」とも書きますが、殺害されたり、災難にあったりして不慮の死を遂げることを指す言葉です。確定はできませんが「虐殺」の文字はなく「殃死鮮人」という言葉が使われていたのではないかと、私は考えます。

▼B　ねずまさし「横浜の虐殺慰霊碑」『季刊三千里』21号、1980年2月

▼C　「在留朝鮮人運動」1935年

しかし李は、「虐殺」という言葉は避けながらも、やはり位牌に虐殺への思いを記していたのではないかと、私は考えています。後であらためて取り上げますが、李は戦後、位牌を作り直しています。そこに刻まれていた日付が、「大正十二年九月二日」なのです。1924年の法要時に掲げられた位牌にも同様に刻まれていたかどうかは、確実には分かりません。しかし、新しい位牌をつくる際にあえて日付を変えたとは考えにくく、やはり「大正十二年九月二日」と刻まれていたのではないかと推測します。

関東大震災の追悼碑、慰霊碑に記された日付のほとんどは「9月1日」となっています。地震が起きた日だからです。しかし朝鮮人虐殺は、その翌日、「9月2日」に横浜全市に広がりました。李が1946年に書いた「故村尾履吉氏遺骨埋葬ニ関スル件」という文書があります。そこには「関東大震災第二日目ノ午後5時ヨリ横浜地区ノ惨殺朝鮮人…」とあり、李が「2日午後5時」を虐殺の始まった日時と認識していたことが分かります。また神奈川新聞の記事で▼A、李は「あの日（9月2日）横浜から東京に三、四千名の朝鮮人が押し

虐殺被害者の追悼に奔走した李誠七。震災発生日ではなく、虐殺が始まった日として「9月2日」を重視した

▼A　1952年9月2日付

寄せ、放火、殺人、暴行をするというデマが飛んで、私たち朝鮮人は目もあてられない迫害をうけた。そして〝朝鮮人殺し〟が始った。悲しい思い出の日です」と語っています。

当時、「虐殺」と書けば弾圧は避けられませんでした。李は、「9月2日」という日付を書きつけることで、ここで追悼されているのが虐殺の死者であることを示したのではないでしょうか。実際、李が「9月2日」を意識して虐殺の日として伝えようとしていたことは、その後に彼が続けた追悼会の中にもうかがえます。

朝鮮人の死者は、震災で命を落としたのではありません。日本人に虐殺されたのです。しかし李誠七は、死者の供養、追悼を全面に出し、虐殺への抗議はしませんでした。それによって県市の協力を得て、多くの日本人が注目する公然たる追悼会を開催することができました。彼は日本社会に受け入れられる朝鮮人追悼会を実現しようと考えたのです。同時に彼は、位牌の日付を「9月2日」とすることで、これが虐殺された死者への追悼であることをひそかに示したのです。

朝鮮人の埋葬に胸を痛めた村尾履吉

ところで、先に引用した横浜貿易新報[▼B]は、「朝鮮人一同は震災當時眞先に鮮人の霊を弔ひ埋葬等に尽力した村尾海軍大佐の住宅に近き青木町三ツ澤の陽光院に赴き鮮人横死者の墓碑に参拝した」という言葉で記事を結んでいます。これは何を伝えているのでしょうか。それを理解するには、ここに出てくる「村尾海軍大佐」と「三ツ澤」について説明しなければなりません。

村尾履吉(のりよし)は1874年に兵庫県に生まれ、1897年に海軍士官となりました。しば

▼B 1924年9月2日付

しば技術研究のためにイギリスに派遣されていたそうです。1916年には大佐になりました。しかし震災の4年前、1919年に満45歳で予備役となります。予備役とは現役を退いた軍人のことで、有事の際は召集されます。現役を退いた後、村尾は青木町字三ツ沢に移り住んできました。当時の三ツ沢は、神奈川町の埋め立てが進むなかで新しい住宅が建ち始めるころですが、まだ戸数わずかに80戸、人口約400人で、田畑と山林の広がる地域でした。村尾は気球製作所の顧問をしたり、東京大学法学部政治学科に聴講生として通ったりしていました。また妻を1920年に結核で亡くしています。

私が三ツ沢で聞き取りをしたのは、村尾邸が取り壊される前年の2008年ですが、村尾を知っている方はわずかですが、いました。三ツ沢墓地の三橋茶屋の三橋美千江さん（1922年生まれ）、安西石材店の安西美代子さん（1931年生まれ）は、尊敬の念をもって「村尾海軍大佐」のことを話しました。閣下と呼ばれていたこと、屋敷には赤い門があったので赤門と呼んでいたこと、「海軍大佐らしく口ひげを蓄え、白地の絣（かすり）にステッキをついて、帽子をかぶって悠然と歩いておられた」「植木屋なんかが、お庭をきれいにすると、『そんなにきれいにしてはいかん。少し自然を残せ』なんておっしゃった。だから『枯れ葉なんか落ちたままでいいんだよ』なんてあそこに行くと言われるんだと、植木屋が言っていた」といったエピソードを語ってくれました。

村尾が朝鮮人虐殺の問題と関わりをもつことになったのは、震災のあと、朝鮮人の遺体が三ツ沢に運ばれてきた様子を目の当たりにしたときからです。朝鮮人の遺体は村尾の自宅近くの空き地に運び込まれ、積み上げられました。やがてそれらの遺体は、さらに三ツ沢墓地の行旅死亡人の仮埋葬地に運ばれます。場所は墓地の一番奥、斜面を下った一段低い平地です。現在は墓地管理事務所や横浜空襲の犠牲者の合葬墓があります。そこに大きな穴が掘られ、朝鮮人の遺体はその中に投げ込まれていったそうです。

三橋さんは、「今の松浦病院の先に屍骸が山積みになっていたそうで、母は見に行った。そうすると死人がみな黄色かった。辛い物を食べるとこうなるのかと不思議に思ったそうだ」「今の管理事務所のところに大きな穴を掘って埋めたそうです」と話しています。遺体が黄色いということの意味は分かりませんが、震災による焼死ではなかったことは分かります。同じくSさんは、「むごいことで、大きな穴に投げ込まれるという扱いだったそうだ」と言います。彼らは、父母から当時の話を聞いていました。

村尾はこうした様子に胸を痛め、一周忌に合わせて、そこに小さな木塔を建てました。そして地元の陽光院の住職を呼んで、李誠七や朝鮮人たちによる追悼の場を提供したのです。それが、「横浜貿易新報」の記事にある「墓碑参拝」でした。このときの様子は、詳しくは伝わっていません。しかし、日本社会の名士を集めた盛大な法要のあとに、朝鮮人たちが同胞の遺体が埋葬された場所に移動して行った追悼会です。宝生寺の追悼会とは違う意味をもったものになったことは確かです。

また、この追悼会によって、ここに朝鮮人が埋葬されたことが記録として残ったことも大きな意味を持ちました。横浜で虐殺された朝鮮人の埋葬地としてはっきり分かっているのは、今となってはここだけなのです。

村尾履吉と李誠七の社会事業

村尾は、「私が朝鮮の方々と親しむようになったのは、あの（大正）十二年の大震火災からです」と語っています。▼A 三ツ沢での追悼の集い以降、村尾は李誠七などの朝鮮人のリーダーと親交を深めながら、朝鮮人の生活支援などの運動に取り組むようになりました。1926年に「神奈川県内鮮協会」が発足すると、その評議員となりました。この協会は、会長に県知事を、顧問に横浜市長を迎え、その規約第一条には目的として「内鮮人の親睦を図り、在県鮮人に対する社会的施設を為す」「内鮮融和に関する調査研究を為す」とあります。つまり、あくまでも朝鮮人を日本に同化しようという体制側の「内鮮融和」運動でした。

しかし村尾の活動を示すわずかな資料からうかがえるのは、彼が虐殺の背後に差別があること、その克服には日本人の朝鮮理解と朝鮮人の生活問題の解決が必要だと考えていたことです。前述の三橋美千江さんは、「村尾さんは日本人がいけないのだからといって、気の毒がって供養した」、安西美代子さんは「デマが流れて朝鮮人が殺された。村尾さんはそういうことはやってはいけないと言ってお参りをしていた」と振り返っています。

李誠七は後に、村尾の「朝鮮人への行績」として、朝鮮人の若者を援助してその進学や就職を支援したことや、朝鮮文化や芸術の紹介に尽力したことなどを挙げています。村尾は自宅に私塾を開き、経済的に苦しい若者たちの勉学を支援しました。朝鮮人の若者を三菱商事に紹介し、就職させたこともあります。

▼A 横浜貿易新報1933年9月18日付

李誠七も、1924年以降、社会事業を行うようになりました。内務省の報告「朝鮮人労働者に関する状況　大正13年7月」には「客年(昨年)九月の震災以来一般朝鮮人労働者は内地人労働者頼むに足らず、朝鮮人問題は朝鮮人の団結力に依り善処するの外途なしと為し、頻りに朝鮮人労働者自身の団体を組織すべく之れが気運を作興するに力めつつ」とあります。神奈川でも震災前後に朝鮮人労働者の団体結成の動きが出てきます。同資料の「朝鮮人労働者ノ団体調」には神奈川県の三団体が載っています。「川崎在住鮮人親友会」▼Bと「鶴見鮮人親睦会」▼C、そして李誠七が結成した「鮮人労働組合」▼Dです。

「川崎在住鮮人親友会」の都強煥は、震災時には田島町の助役・栗谷三男によって新田神社で迫害から守られた朝鮮人のリーダーです。「鶴見鮮人親睦会」の呉斗栄らの名前は、本書の第3章ですでに出てきました。鶴見署に保護されていた朝鮮人のリーダーです。彼らは鶴見署から華山丸に移送されましたが、9月26日には潮田に戻り、翌年2月、大川署長に感謝状を贈っています。そして李誠七の「鮮人労働組合」です。いずれも関東大震災の迫害と虐殺を体験した朝鮮人リーダーたちでした。これらの運動は相互扶助や内鮮融和を掲げています。

宝生寺の朝鮮人追悼法要会を成功させた後の1924年11月には、李は「愛護会」を結成します。横浜の朝鮮人の相互扶助組織です。横浜貿易新報▼Eには、「参加者は横浜社会館宿泊の李誠七氏外57名」「会名を在浜鮮人救済団体『愛護会』と定め…会長は発起人総代李誠七氏を多数を以て選挙」したとあります。失業者の職業斡旋、生活に困窮した者への救護活動を行う相互扶助を基調とした組織でした。

▼B 都強煥、梁万興、1922年10月結成
▼C 呉斗栄、金浩景、1924年3月
▼D 1924年4月結成
▼E 1924年11月4日付

ただし、李自身は翌年には愛護会を離れます。愛護会は1925年3月に早稲田大学学生の文錫柱を新会長に再発足し、7月には4団体が合同して、文と金鶴儀（天海）をリーダーとする横浜朝鮮合同労働会となります。先に紹介した虐殺抗議の追悼会を開催して弾圧されたのは、彼らでした。李は1926年に神奈川県内鮮協会が結成されると、村尾と並んで評議員として参加しています。また、1930年代に入ると、横浜訓盲院のドレーパーや横浜共立学園のミス・ルーミスらとも交流し、朝鮮基督教会横浜教会に▼A「愛隣園」を組織し、朝鮮人救済の活動を展開しました。「愛隣園」の活動は戦後まで続きました。

続いた追悼会とのその思い

その間も、李誠七は虐殺された朝鮮人の追悼会を毎年、続けています。

震災直後は市内各所で行われた追悼会も、時とともにすたれ、行われなくなっていきました。県・市の大追悼会もなくなりました。「虐殺抗議」を掲げた朝鮮人追悼会も弾圧によってできなくなっていきます。そうした中で李誠七は、十数人という小さい規模ではあっても、毎年、宝生寺での追悼会を続けました。ここに李の真骨頂があります。この毎年の追悼会には、どんな意味があったのでしょうか。それを理解する糸口となるのが、1935年9月2日に李誠七が主催した「櫻井染五郎翁の謝恩会」です。

この「謝恩会」のことを今に残しているのは、同日付の横浜貿易新報の記事です。そこでは、櫻井染五郎は「多数の朝鮮人を保護した」「在浜鮮人の命の親」と紹介されています。震災当時に戸部署の署長を務めていた遠藤至道が書き残した震災記録『補天

▼A　現在の在日大韓基督教会横浜教会

石』によれば、櫻井は浅間町の土木請負業の親方です。彼は朝鮮人労働者を迫害から守り、戸部署に保護収容させ、さらに同署に白米3俵を贈っています。

謝恩会では「横浜在住朝鮮人一同」の名で櫻井に「感謝状並びに記念品を贈呈」し、昼食の後、回向院の「殃死鮮人記念碑に参拝」したとあります。1924年9月に李が回向院に収めた位牌です。出席者は、李や朝鮮キリスト教婦人会の朝鮮人25名、県社会課長、市社会課長、警察を退職して僧侶となっていた遠藤至道ら日本人5名でした。

李は、県市の社会課長や元警察署長の遠藤を招くことで体制公認の集会という体裁をつくり弾圧を避けたのでしょう。また、朝鮮人が日本人に感謝するという内容であれば日本社会に受け入れられやすいという判断もあったと思います。こうした形をとることで、新聞に、この謝恩会を記事にさせることもできました。私はここに、日本社会に朝鮮人追悼会の存在を伝えようとする李誠七の強い意志を感じます。

また、1935年9月2日という日付に注目します。この年は、震災の13回忌の年に当たります。そして先に指摘したように、李誠七にとって「9月2日」とは「虐殺の始まった日」です。

そう考えれば、この「謝恩会」の意図が分かります。この集会は、櫻井の「謝恩会」のかたちをとっていますが、震災直後に不当に迫害され、虐殺された朝鮮人たちを悼むものでした。櫻井のような日本人もいたことで朝鮮人が生き延びることができたことを忘れずに伝えていきたいという思いもあったでしょう。それは、激しい迫害虐殺の中、農家にかくまわれて生きのびたという李自身の震災体験でもあります。そんな思いが込められた集まりだったのです。

村尾履吉もまた、彼の立場から、朝鮮人への思いを持ち続けていました。彼は震災から10年後の1933年、三ツ沢墓地に朝鮮人共同墓地を建設します。当時は、朝鮮人労働者が、横浜の労働現場の事故や病気で命を落としながら、身元不明であったり、引き取り手がいなかったりするために無縁仏となってしまうことが、しばしばありました。

横浜貿易新報▼Aによれば、村尾はそうした人々の慰霊のため、私財を投じて三ツ沢墓地に2坪の土地を買い取り、納骨塔を建設しました。最初は「神奈川子安の大通院別院、市霊和会が久保山に管理する遺骨8墓」を引き取り、9月の彼岸の日に弔いました。朝鮮人が墓参する中秋の名月（10月4日）には弔魂の碑を建立して朝鮮人とともに法要を行う予定だとも書いてあります。その後、実際に弔魂の碑は建立されました。

村尾が造った朝鮮人墓地の場所は、三ツ沢墓地の中でも、関東大震災時に朝鮮人の遺体が埋められた場所に最も近いところにあります。村尾が一般の墓域から離れたこの場所を選んだのは、それを十分に意識してのことだったと思います。村尾もまた、虐殺された朝鮮人への思いを持ち続けていたということです。

先に紹介した「私が朝鮮の方々と親しむやうになったのはあの（大正）12年の震災からです」というコメントも、この記事にあったものでした。このコメントは、「別に大した事も出来ませんが、遠く日本内地に来て物故した人の遺骨が無縁として弔う人も無いということは、私のしのび無いところで貧しい私の手で心ばかりの弔魂碑を建てやうとした迄の事です」と続きます。

日本の敗戦とその後の李誠七・村尾履吉

▼A 1933年9月18日付

1945年8月15日、日本が敗戦を迎えます。この歴史的転換は多くの日本人の運命を変えましたが、言うまでもなく朝鮮人たちの運命も大きく変えました。日本の敗戦は、朝鮮人にとっては植民地支配からの「解放」です。在日朝鮮人の団体である在日朝鮮人連盟が結成され、各地で民族教育を始めます。李誠七も地方役員に名を連ねました。それまでひっそりと行われていた宝生寺の追悼会も、同年9月1日には食べ物を持ち込んで盛大に行われたといいます。

同年9月、李は回向院に収め参拝してきた位牌を作り直します。

「大正十二年九月二日　虐殺韓国人諸霊位」

新しい位牌にはそう刻まれました。ようやく、「虐殺」の二文字をはっきりと記すことができたのです。文字の上には「太極」のマークを入れました。このマークも、「韓国」という文字も、まだ成立していない大韓民国ではなく、独立した一つの朝鮮を指しています。

一方、村尾履吉は終戦直前の5月の大空襲で焼け出され、敗戦によって恩給も断たれて生活は困窮していました。養女に迎えたハルさんに身の回りの世話をしてもらっていましたが、1946年5月、病を得て亡くなります。73歳でした。村尾は、「俺も無縁仏だ、5年経ったら三ツ沢の朝鮮人共同墓地に埋葬してくれ」という言葉を残していました。これを聞いた李誠七は、「大佐にお墓をお返しする」と言って、翌47年3月に朝鮮人の墓地を菊名の蓮勝寺に移転改葬します。そして三ツ沢には村尾の墓を建て、12月には「故村尾履吉君墓石建立式」を行いました。李誠七の挨拶の後、横浜市長や県知事の追悼の辞が読み上げられたといいます。

この建立式を見た安西美代子さん（墓地前の安西石材店）は、「白と青の幕を張り大勢が集まって式典をした。たくさんの朝鮮人も参加していた」「多くの朝鮮人が日本人を恨んでいると聞いていた中で、朝鮮人の面倒を見た大佐も偉いが、それを忘れない朝鮮人も偉いと思う。なかなかできることではない」と語っていました。

7回忌に当たる1952年5月、李は村尾を称える「敬慕碑」を建立しました。敬慕碑は今も残り、関東大震災の追悼会にはじまる二人の深い交流をしのぶことができます。ただ「故海軍大佐　村尾履吉君墓」という墓石は、今はありません。村尾とハルさんの名前が刻まれた新しい墓になっています。

蓮勝寺に移された朝鮮人共同墓地は、「韓国人墓地」となりました。三ツ沢の朝鮮人墓地にあった朝鮮人納骨塔と「弔魂の碑」も移ってきました。どちらも村尾が1933年につくったものです。弔魂の碑に刻まれた碑文のうち、9文字が削られています。蓮勝寺への改葬の際に、朝鮮人の若者が削ったものといわれています。村尾について調べていた大図氏は、「天皇の御仁慈」といった意味の言葉が入っていたと蓮勝寺から聞いています。後に調査した坂井俊樹氏は「我が陛下の臣民」とあったと書いていますが、根拠は示していません。納骨塔の建立を伝える横浜貿易新報▼Aには、建立する前の「文案」が紹介されていますが、それによれば、ここには「畏くも我が陛下

1933年に建立され、その後三ツ沢墓地から蓮勝寺へ移設された「朝鮮人納骨塔」（写真右）と「弔魂の碑」

の」と入っていたことになります。ただ、これだと8文字です。いずれにしろ分かるのは、村尾の思想が「内鮮融和」であったということです。

改葬に際しては、「朝鮮人納骨塔転徙改葬記念碑」も建立されました。裏面には移転の経緯が書かれており、「村尾君の温情と李君の義挙」が称えられています。右の側面には、発起人として李誠七のほかに、朝鮮建国促進青年同盟中央総本部委員長洪賢基、朝鮮建国促進同盟神奈川県本部委員長金琮斗の名前があります。朝鮮建国促進青年同盟は現在の民団につながる団体です。彼らが移転に際して大きな協力をしたことが分かります。

しかし、そうなると彼らと激しく対立していた、後の総連につながる在日朝鮮人連盟系の人たちは墓参ができません。「総連も民団もない」と言っていたという李にとって、蓮勝寺への移転は苦悩の選択だったのかもしれません。その後は、「蓮勝寺からは足が遠のき、東林寺の墓地造営に没頭した」と伝えられています。

実は李は戦時中、朝鮮人の無縁仏80体ほどのための墓地用地を東林寺に入手していました（この無縁仏は虐殺犠牲者ではありません）。そこで、東林寺の墓地にこれらの無縁仏を弔う納骨堂を建設し、それを総連系の墓地としたのです。今では、蓮勝寺の韓国人墓地では民団によって、東林寺の朝鮮人納骨堂では総連によって、それぞれの法要が行われています。

初めて虐殺について語る

1952年3月に、手塚利明が亡くなります。1924年の震災一周忌の追悼会の実

▼A　1933年9月18日付

現に尽力した手塚を悼み、この年の9月1日の追悼会では、「日本人として救難に尽力した手塚利明氏の追悼法要」が併せて行われました。県知事、市長、社会福祉協議会会長らの代理人の参列があり、3人の追悼文が代読されています。李は、手塚が「朝鮮貧民の子供たちのため季節託児所建設」し、毎年の朝鮮人追悼会開催に協力してきたこと、いつも朝鮮人のよき代弁者としてあったことへの感謝を述べ、手塚氏遺族へ記念品を贈呈しました。

日本人の協力者であった手塚をこのように顕彰する意義は、1935年の「櫻井染五郎翁の謝恩会」と同じところにあったと思います。

また、1952年は震災30回忌でもありました。追悼会の翌日、李は神奈川新聞▼Aに率直な思いを語っています。記事は「きのう1日は大震災記念日、そしてきょう2日は混乱の最中にあらぬデマから多数の朝鮮人が落命した不幸な日だった」と始まります。李は以下のようにコメントしています。

「あの日横浜から東京に三、四千名の朝鮮人が押し寄せ、放火、殺人、暴行をするというデマが飛んで、私たち朝鮮人は目もあてられない迫害をうけた。そして〝朝鮮人殺し〟が始った。悲しい思い出の日です」

「あの日」とは9月2日のことです。日本の敗戦と祖国の解放によって、李は初めて、「9月2日」という日付に込めた思いを公の場で語る機会を得たのです。またこのコメントのなかで、李は「近くこの震災犠牲者と手塚さんの墓石を境内に建てて、国に帰りたい

▼A　1952年9月2日付

と思っています」とも述べています。この時点では李が帰国を考えていたことが分かります。李一人で続けてきた追悼会ですが、もう70歳です。長くはできないという思いもあったのでしょう。李は朝鮮人慰霊碑を建立したかったのです。石に刻めば百年を超えて残せるからです。

しかしその力は、李誠七にはすでに残っていませんでした。肝臓がんを患った李は、7年後の1959年1月14日に亡くなります。宝生寺の佐伯真光住職は、病床の李を見舞った時に「私が死んだあとも震災犠牲者の供養を毎年続けてほしい」と言われたといいます。また李を支援してきた事業家の鄭東仁は、慰霊碑の建立を託されました。その後、鄭は「李誠七先生の遺志を実現するのだ」と東奔西走しました。

宝生寺の法要会は民団が引き継ぐかたちで継続し、1971年に、ついに念願の慰霊碑が建立されたのも、鄭の働きによるものでした。

宝生寺に建つ関東大震災韓国人慰霊碑。礎石を含むと高さは3メートル以上になる

「関東大震災韓国人慰霊碑」が建立される

その慰霊碑、つまり「関東大震災韓国人慰霊碑」は、今も宝生寺に建っています。碑石には、建立委員として民団神奈川県地方本部団長孫張翼氏をはじめ8名の名が刻

まれています。「韓国湖南人会長鄭東仁」の名もあります。碑の裏面には、建立に協力した137名の名があり、慰霊碑建立の経過が碑文となっています。日付は1970年9月1日、建立の1年前の日付です。李の願いは、こうして実現したのです。

ただし佐伯真光住職は、この碑文に「虐殺」という文字が書かれていないこと、「戦後になって宝生寺の法要が始められ民団によって続けられた」とあり、追悼会の経過が正しく書かれていないことを指摘していました。

碑名は「関東大震災韓国人慰霊碑」であり、「虐殺」の文字はありません。碑文でも「関東大震災に因る直接又は間接の被害を受けて空しく異国の露と消えたこれら怨霊」という曖昧な表現となっています。1970年代になってもなお続く、朝鮮人虐殺に対する日本社会の無知、認識の無さから来る慰霊碑への攻撃をおそれたのかもしれません。朝鮮人がむごいかたちで殺された事件を「虐殺」と表現させない日本社会のありようは、李誠七が追悼会を行った時代と変わらずに続いているのです。

朝鮮人法要会の歴史経過についての説明の間違いも、佐伯住職の指摘されているとおりです。「戦後になって宝生寺の法要が始められ、民団によって続けられた」のではありません。震災の翌年、「神奈川県朝鮮人法要会」として始まり、戦前、戦後を通じて李によって続けられてきたのです。

晩年の李の願いは、追悼法要が今後も続けられること、慰霊碑を建立することでした。法要は民団によって引き継がれ、鄭東仁の奔走により慰霊碑が建立されました。李の願いは実現したのですが、伝えられるべき追悼会の歴史が碑文に正しく書かれていないのは、とても残念なことです。

米倉猪佐雄氏を訪ねて、李誠七の晩年のお話をうかがったことがあります。米倉氏は1952年から3年間、藤ノ木の李の家に一家で同居した方です。印象に残ったのは、おかゆをすすりながら社会活動に取り組む姿と、李のきびしく強い信仰でした。虐殺された朝鮮人の追悼を、なぜ体制的な日本人の協力を得た「盛大な法要会」にしたのか。生涯クリスチャンであった李が、なぜ仏教の法要会にしたのか。それなりに理解したつもりでしたが、米倉さんから李の激しい信仰を知って、浅い理解であったと悟りました。宝生寺の法要会を実行するに至る李誠七自身の苦悩に思い至らなかった。殺され放置され埋葬地すらわからない朝鮮人の追悼、人として扱われなかった同胞の慰霊をどのように行うのか。宝生寺の法要会は、李誠七自身の憤りや抗議、キリスト教の信仰、それとの葛藤、苦悩を経て実現されたものであったということです。

李は、朝鮮基督教会横浜教会に▼A「愛隣園」を組織し、朝鮮人救済の活動を戦後も続けています。韓国の貧しい子どもたちに文房具を送る活動もしていました。宝生寺の朝鮮人追悼会も「愛隣園」が担っています。

「愛隣」とは、聖書の説く「隣人愛」から来ているのでしょう。関東大震災の朝鮮人追悼法要会に始まる李の活動が、「汝の隣人を愛せ」「迫害する者のために祈れ」という強い信仰によって支えられていたことは間違いありません。

李誠七の遺骨は遺族の手によって韓国に戻り、今は天安市の国立墓地「望郷の丘」に眠っています。

▼A　現在の在日大韓基督教横浜教会

平楽の丘の一角、打越にある在日大韓基督教会横浜教会の礼拝堂

少年の日に目撃した一市民、これを建てる

横浜には、朝鮮人虐殺に関わる4つの碑があります。

宝生寺の「関東大震災韓国人慰霊碑」、三ツ沢墓地にある村尾履吉を顕彰する「敬

一市民が私費を投じて久保山墓地に建立した「殉難朝鮮人慰霊之碑」

墓碑」、東漸寺の「故大川常吉氏之碑」です。▼A

そして、最も新しく建てられた4つ目の碑が、「殉難朝鮮人慰霊之碑」です。1974年に久保山墓地に建立されました。碑の裏面には「少年の日に目撃した一市民建之（これをたてる）」とだけ書かれています。

この碑の意味について、少し説明します。

久保山墓地の一角には「横浜市大震火災横死者合葬之墓」という碑と、大きな土まんじゅうがあります。市内の引き取り手のない遺体約3300が、1924年9月にここに集められ、埋葬されました。村尾履吉が目撃した、穴に投げ込まれた朝鮮人被殺者たちの遺体も、おそらくは最終的にここに改葬されたのではないかと私は推測しています。この合葬墓の正面に立って左側に、細長い石塔があります。これが「殉難朝鮮人慰霊之碑」です。建立したのは、石橋大司という一人の横浜市民でした。

なぜ一市民が朝鮮人を追悼する碑を建てたのでしょうか。その思いを伝える1993年8月31日付の朝日新聞記事を読んでみましょう。

石橋大司は関東大震災当時、小学2年生で、横浜市福富町に一家で暮らしていました。震災で焼け出された後、9月3日に一家は根岸方面に避難します。「途中、久保山の坂で、電信柱に荒縄で後ろ手に縛られた朝鮮人の死体を目撃した。血にまみれていた。家族は無言で通り過ぎた。以後、家族の中でこの日の事が話題にのぼったことはない」。幼い石橋にとって、どれほど衝撃的な経験だったことでしょう。皆がそれについて語らない理不尽に対しても、彼の疑念は育っていきました。石橋はこう語っています。

「多くの日本人は朝鮮人を虐殺したり、目撃したりしているのに口をつぐんでいる。

▼A　蓮勝寺の「弔魂の碑」などは朝鮮人労働者の慰霊碑なので、ここでは数えません

恥ずべきことだ」

震災50年を迎える1970年代に入ると、石橋は虐殺された朝鮮人の追悼碑建立を横浜市長に働きかけますが、市は動きませんでした。そこで彼は私財を投じて、許可を得て市有地に追悼碑を建立したのです。59歳でした。

記事は石橋が78歳のときに書かれています。「終わりの近い私にとっては、この碑の建立が生涯たった一つの善行だった」という彼の言葉で記事は締めくくられています。

この碑の意義はなんでしょうか。先の三つの碑は朝鮮人・韓国人が建立したものです。殺された側である彼らが、犠牲者の追悼や、あるいは彼らを助けようとした日本人たちを顕彰する目的で建てたのです。それに対して「殉難朝鮮人慰霊之碑」は、殺した側の日本人が初めて建てたものです。そこには、沈黙のうちに横浜市民の謝罪と反省が込められています。

李誠七は亡くなる直前まで、関東大震災で殺された朝鮮人の追悼碑が建立されることを願っていました。石に刻むことで、後の時代まで朝鮮人虐殺の歴史を伝えようと考えたのです。石橋も同じだと思います。

こうした人々の思いに応えるのは、今に生きる私たちです。

思えば私は、これらの碑との出会いから、朝鮮人虐殺に立ち会った日本人、朝鮮人の歴史を知りました。そしてそこから、横浜における朝鮮人虐殺の歴史を調べ伝えようとしてきました。李誠七が続けた追悼会や、彼らが残した碑の存在から、私は「これを伝えなければいけない」という思いを確かに受け取ってきたのです。

【研究ノート余録5】

朝鮮人学生による調査報告と「青木橋の虐殺」

朝鮮人虐殺の真相を究明しようとした試みとして、有名な二つの報告があります。「在日本関東地方罹災朝鮮同胞慰問班」(以下、慰問班)の調査報告と、上海の「独立新聞」特派調査員報告です(さらに慰問班の中心メンバーだった崔承万が戦後に発表したものがありますが、ほとんど慰問班の報告と同じ内容なので、ここでは取り上げません)。それらは被害者となった朝鮮人の側からの調査であり、大きな意義をもっています。

しかし、あらゆる史料がそうであるように、この貴重な報告も多面的に検証されなければなりません。虐殺研究を続けて来た山田昭次氏も、『関東大震災時の朝鮮人虐殺――その国家責任と民衆責任』(創史社、2003年)と『関東大震災時の朝鮮人虐殺とその後』(創史社、2011年)で二つの報告について検証しています。

被害者である朝鮮人の側からまとめられた二つの調査報告

それによれば、慰問班の報告が作成された経緯はある程度明らかになっています。慰問班は、東京朝鮮留学生学友会、在日本東京朝鮮基督教青年会、在日天道教青年会のリーダーたちが発起人となり、1923年10月初めに結成した調査団です。

慰問班は10月末までの中間調査報告を政治学者の吉野作造に手渡しました。吉野はそれを改造社の『大正大震火災誌』に寄稿しようとしましたが、原稿が発禁処分を受けたため果たせませんでした。今日まで残っているのは、この中間調査報告です。この報告は、虐殺犠牲者の人数を2613人としています。

慰問班の調査員は10月から11月末まで、関東一帯の虐殺地をシラミつぶしに調査したといいます。彼らは、新聞記事から情報を集めたり、朝鮮人に対する聞き取りを行ったりしました。この時期は、朝鮮人虐殺の報道が解禁され、虐殺事件や自警団裁判の報道が連日なされていた時期です。官憲によって千葉・習志野などに収容されていた朝鮮人が町に戻ってきた時期でもあります。ただし、調査は困難を極めました。刑事が尾行するなど官憲の監視下に置かれ、地域の人の協力もなかなか得られませんでした。慰問班に参加した韓晛相は「震災から既に二箇月を経過しているし…なかなかその実数は正確を期することが出来るものではなかった」と書いています。正確さについて限界があることを認識しているのです。

また、調査過程について断片的な事実しか残っておらず、誰がどのような調査を各地で行い、調査結果を誰が集約し、何を根拠に虐殺地や人数を確定し、報告書をまとめたのかといった詳細は不明のままです。

埼玉県では1970年代初頭に、関東大震災50年にあたって大規模な調査研究活動が行われました。それは、『かくされていた歴史』(関東大震災50周年朝鮮人犠牲者調査・追悼事業実行委員会、1974年)にまとめられています。そのなかで、50周年の調査で突き止められた事実と慰問班の調査との比較が行われていますが、それを見ると、慰問班の調査は虐殺地と被害者数についての精度が決して高くないことが分かります。

それでも、虐殺調査が政府や日本社会の側からは行われなかった当時、朝鮮人学生たちが自身の危険を冒して調査を実行したのです。誤りも多く含まれていますが、今ではもう分からなくなっている事実を彼らが聞き取り、目撃している可能性があります。

もう一つの「独立新聞」による報告は、上海にあった大韓民国臨時政府の機関紙である「独立新聞」に、上海から派遣された特派調査員報告として発表されたものです。この報告では、犠牲者数は6661人とまとめられています。

ただし、この報告は慰問班のもの以上に実態が分かっていません。山田昭次氏は、特派調査員は名古屋にいた韓世復と推定しますが、それだと上海から派遣したという「独立新聞」の主張と異なります。どのように調査したのか未解明です。

また、地名のダブリや数字の未整合なども多く見られます。慰問班の報告が虐殺地を府県別にダブリもなく整理しているのに対し、「独立新聞」報告は「被殺地」の府県が入り乱れています。「小松川附近2人、同区域内220人、小松川附近20、同区域内1人、同区域内26人」といった、理解に苦しむ記述もあります。未整理のままで発表された報告と言わざるを得ません。

「独立新聞」の報告は虐殺地と被殺人数について慰問班の報告と重なる部分が多く確認できることから、二つの報告に何らかのつながりがあることが推測できます。山田氏は「独立新聞」の調査が先述の慰問班の最終報告だろうという結論を出しています。しかし私はこれを疑問に思います。二つの報告の構成は全く異なりますし、中間報告である慰問班報告がきちんと整理した記述になっているのに対して、未整理でダブリが多い「独立新聞」報告が、その完成形だというのは考えにくいことです。私は、「独立新聞」報告は慰問班の最終報告ではなく、あくまでも慰問班調査をもとに「独立新聞」の特派調査員が独自に構成・作成したものなのではないかと考えます。

実際、慰問班自身の最終報告が存在していたことを伝える史料がいくつかあります。「東亜日報」(1924年1月6日付)には、23年12月25日、在日本関東地方罹災朝鮮同胞慰問班の経過報告会が東京の雑司ヶ谷日華青年会館で開催され、11月末日までに調査された被殺同胞の数などが報告されたとあります。また、総督府がまとめた「在京朝鮮人状況」(総督府警務局1924年、朴慶植編『在日朝鮮人関係資料集成第一巻』三一書房、1975年)は、この報告会について「被虐殺朝鮮人は二千六百十一名(11月末迄の調査)なり」等の声明をして当日限りで慰問班を解散した…と記しています。慰問班の最終報告がまとめた被害者数は2611人であったということになります。

神奈川鉄橋(青木橋)の「虐殺」をどう考えるか

さて、この二つの報告は横浜周辺の虐殺についてどのように書いているでしょうか。

横浜市やその周辺の虐殺地と人数については、「独立新聞」の記述はほとんど慰問班のそれと同じで、慰問班の報告の方が詳しい内容となっています。

慰問班の報告によれば、8府県で虐殺地75カ所、被害者数2613人のうち、「横浜方面」が最多の1129人とあります。埋葬地として久保山火葬場や三ツ沢共同墓地など6カ所も挙げられています。未解明な部分が多い横浜の虐殺を知る上で手掛かりとなるものです。

22カ所の中には、現時点で確認できるものもあります。例えば神奈川町の浅野造船所における48人の虐殺です。同造船所に多くの朝鮮人労働者が働いていたのは事実ですし、虐殺があったことを示唆する証言も残っています。慰問班の報告には人数だけでなく「現金500円強奪」と書き添えてあり、確かな聞き取り証言があったことをうかがわせます。殺害した上に金品を奪う事例は中国人虐殺の報告などにしばしば出てきます。他に「新子安町」の被害者数10人なども、残っているいくつかの証言と合致します。

このように、他の史料やその地域の状況などとつき合わせながら読み込んでいけば、慰問班の報告から虐殺の事実に近づく手がかりを得ることができるはずです。その解明作業は今後の課題として残されています。

ただし、現時点では信憑性に疑問符がつく記述もあります。その代表が「神奈川鉄橋500余人」です。神奈川鉄橋とは、今もある青木橋のことです。東海道の橋で、当時も今も、橋の下を走るのは川ではなく、東海道本線などの鉄道でした。

東海道は、言うまでもなく横浜と東京を結ぶ主要幹線道路です。そして青木橋は、桜木町や横浜中心部に向かう道が分岐する交通の要地でした。そのため、9月1日夜から多くの人々が往来しています。

慰問班の調査（とそれを採用したと思しき「独立新聞」調査）では、ここで500人以上の朝鮮人が殺されたと記しているのです。事実であれば、内閣府中央防災会議の専門調査会報告で「最大の殺傷事件」と記している、中国人300人が殺害された大島事件を上回る規模の虐殺事件だったことになります。

ところが、青木橋での大規模虐殺をうかがわせるような資料や証言は、現在まで得られていません。鉄道は7日には開通しています。人家のまばらだった地域で起きた大島事件でも、多くの証言が残り、日本政府が隠蔽に苦心したことを示す文書も残っています。ひときわ往来が多い青木橋で大規模な虐殺があれば、大島事件以上に広く知れ渡ったはずです。

具体的に、この地域に関連する史料を取り上げて考えてみましょう。

この時期に青木橋を通った人の証言としては、まずは「横浜地方裁判所震災略記」に掲載された3人のものがあります。

福鎌恒子（福鎌検事正の妻）は、徒歩で横浜駅を通過し、2日午後3時頃に神奈川駅に着き、神奈川町の新居宅に泊まっています。青木橋のたもとを通ったことは確実です。福鎌は、横浜駅付近で虐殺を目撃したことは書いていますが、青木橋についてはそうした証言を記していません。

第1章で言及した長岡熊雄判事は3日午前、桜木町駅から青木橋のたもとで東海道に入り、東京へ向かっています。道中の生麦付近で惨殺死体を見たことは書いていますが、青木橋については何も書いていません。

石坂修一判事は3日午後7時頃、岡野町から東海道へ出て青木橋を渡って東京へ向かっています。自警団に絡まれたことは出てきますが、青木橋の虐殺はありません。

また、『横浜市震災誌第五冊』に久保寺丘吉の手記があります。3日、青木橋のすぐ北にある本覺寺から坂を下って青木橋を渡り、桜木町から航路標識管理所へ向かっています。途中の路傍に朝鮮人の死体があったことが書かれていますが、それは青木橋ではありません。

上反町の八木熊次郎は、5日青木橋を通って月見橋から横浜駅へ出ています(「関東大震災日記」)。横浜駅前に「印伴天を着た朝鮮人が惨殺されてゐた」とありますが、青木橋については何も書いていません。

青木橋のたもとで運送店を営んでいた黒河内家の震災資料34点をまとめた黒河内隆は、「私の家は青木町七軒町、現在の京浜急行神奈川駅の青木橋近くで運送店をしていました」「私は子供の頃から震災の話を体験したと同じくらい両親から聞かされていました。不思議でならないのは、この青木橋で『500名もの朝鮮人が虐殺された』ということを親から全く聞いておりません」と書いています(「黒河内運送店関東大震災の記録」)。

このように、現段階では「神奈川鉄橋500余名」を裏付ける史料は全く見当たらないのです。したがって、これをそのまま事実として扱うことはできないと考え、本書では言及していません。

また、1970年代に横浜の虐殺についての研究が始まった当初は、青木橋の近くの高島山に神奈川警備隊司令部が置かれたことや、神奈川警察署が市内で唯一、倒潰も火災も免れていることから、「神奈川鉄橋５００余名」を軍隊、警察、在郷軍人が一体となった大量虐殺だったのではないかという想像も行なわれていました。しかし今ではそうした想像は成立しません。

なぜなら、神奈川警備隊司令部が高島山に置かれたのは7日だからです。翌8日には神奈川警備隊は市内各警察署に朝鮮人の華山丸移送を伝えています。治安回復に向かって行政が機能し始めたこの時点で、青木橋に５００余名の朝鮮人を集めて殺すこと、しかも軍隊がそれを行ったとは考えにくいのです。

ただし、慰問班が「神奈川鉄橋５００余名」と記したことには、何らかの事実が反映しているはずです。例えば第4章コラムで紹介した軍の法務部日誌に虐殺地として記録されている岩崎山は、青木橋からさほど遠くない場所にあります。そのことと何か関係があるのかもしれません。また、神奈川町周辺で多くの人が殺されたことは、中国人被害者名簿からもうかがえることですし、慰問班の報告にもいくつもの虐殺地が挙げられています。神奈川町周辺で殺害された人々の遺体が、いったん青木橋周辺に集められたという可能性も考えられます。ただし、遺体処理の経過や状況はまだつかめていません。

推測を戒めつつ、今後とも横浜とその周辺での虐殺に関わる記録や証言を発掘し、軍隊の動向や遺体の処理などを解明することで、事実認識の厚みを増していくことが大事だと思います。

おわりに

「関東大震災韓国人慰霊碑」が建つ宝生寺で佐伯真光住職のお話を聞いたのは、教員になった翌年、1973年のことだったと思います。

宝生寺は勤務校の学区にありました。関東大震災直後の流言で朝鮮人が虐殺されたこと、李誠七(イソンチル)が殺された朝鮮人の追悼法要をしようと寺を探したこと、多くの寺が断る中で宝生寺の佐伯妙智住職が引き受けたこと、その追悼法要は毎年行われてきたこと、そして「関東大震災韓国人慰霊碑」が建てられたこと……。この佐伯住職の話を小さな冊子にまとめ、社会科の授業で生徒に配りました。これが私の関東大震災研究の始まりでした。

その後も関心を持って調べ、多くの証言や資料に接してきました。印象深く思い返すのは、渡邊歌郎の『感要漫録』と横浜市立南吉田小学校で発見された「震災作文」です。

渡邊歌郎の『感要漫録』は新聞記事(毎日新聞2005年7月3日)で知りました。鶴見町(現横浜市鶴見区)の医師の渡邊歌郎の回想記です。朝鮮人・中国人の保護収容をめぐって意見が戦わされた臨時町会のやり取りが臨場感をもって描かれています。これが鶴見町で何が起きていたのかを調べるきっかけとなりました。

鶴見町で起きたこと、それは朝鮮人・中国人を襲う町民と、その攻撃から守った大川署長という単純な「お話」ではありません。事実は、鶴見署内の朝鮮人・中国人約400人をめぐって、町長、町議、警察署長の間で議論が重ねられていたということです。朝鮮人・中国人の安全を図り、町の平穏を取り戻すにはどうすればよいのか、という話し合いです。虐殺の動きに直面した鶴見町は、町政（地域の自治）をもってその解決に当たろうとしていた、これが明らかになった事実でした。

また、『感要漫録』で渡邊は、「根もなきデマ」を信じて朝鮮人を命の危険にまで追い込んだことを「実にその愚かさを恥ずべきである」と語っています。流言はデマだった、われわれは「その愚かさを恥ずべきだ」、この反省を込めた渡邊の言葉に励まされる思いがしました。「恥ずべき愚かさ」の中身を明らかにすることこそ、今の私たちの課題だと思ったからです。

南吉田小学校の震災作文の発見は2004年9月でした。私は幸運にも、作文発見とほぼ同時に10冊の作文集を見ることができました。学年、学級別に『南吉田第二尋常小学校震災記念綴方帖』という表紙がつけられ、児童559名の鉛筆書きの作文が綴じられていました。手に取った作文集の最初の一編は、朝鮮人襲来に怯えて不安な一夜を過ごした体験が全文にわたって綴られていました。

震災作文としては、すでに横浜市立小学校の3校——寿小学校、石川小学校、磯子小学校——の震災作文が知られていました。南吉田第二小学校は南吉田小の前身で、寿小とは学区が隣接しており、焼失した市街地にありました。火に追われた両校の子どもたちは、ともに市の南部丘陵地に避難しています。また、石川小学校は市街地から南部丘陵地にかけての学区です。つまり、3校の作文には、流言・虐殺の発生地である「平楽の丘」とその周辺の避難地の体験が書かれていたのです。

南吉田第二小学校の震災作文発見を機に、改めて各校の作文を読み直して行きました。震災作文を読むことは、いわば当時の子どもたちからの聞き取りです。

被害の状況、避難と避難生活、朝鮮人暴動の流言と凶器を持つ人びと、暴行と虐殺、山口正憲の震災救護団のようす、略奪、警察や軍隊の動き……、一人ひとりに即した具体的な事実が書かれていました。幾つもの作文が、9月1日夜の朝鮮人暴動流言と虐殺について書いていました。これによって平楽の丘が流言、虐殺の始まりの地であることを確信を持って言うことができました。また警察官が「朝鮮人が来たら殺してくれ」と言った、交番が暴行、虐殺の現場になっていたなど、官憲資料が書かないだろう貴重な証言も作文にはありました。

しかし、数百名の震災作文を読む中で、殺される朝鮮人に心寄せた作文は一つだけでした。作文が書かれたのは、震災後3カ月から半年たった時期ですが、子どもたちには真実が伝えられていなかったのです。

「朝鮮人暴動」は存在せず事実無根のデマであったこと、デマを信じて引き起こした民族的な迫害であったこと、深い反省と謝罪をもって償うべき集団殺人であったことは教えられずに放置されていたのです。こうして子どもたちが聞いたデマ、恐ろしい朝鮮人像はついに正されることなく、あの日聞いた喚声やピストルの音、竹やりや刀で武装した大人たちの姿とともにしっかり焼きついていったのでした。

真実を教えるのは教師であり、大人たちであったはずです。震災作文は、震災後の日本社会の問題も明らかにしていました。そして、流言、虐殺に対する事実が伝えられず、その反省もないことは、その後のアジアへの侵略戦争拡大の時代を準備したとも言えます。こうして資料に向かい、何が事実なのかを読み取ることに徹してきました。未だ不明点の多い横浜の虐殺です。「歴史を書く者は、不明な箇所は余白にしておいて、有能な者があとから書き込めるようにしておいた」という古い言葉があります。不明点は勝手な推測で埋めてしまいがちです。不明点を残す、それは難しいことですが、心してきたことです。資料を見直し、確かな事実を探りながら本書を書きました。皆さまの一読を願うところです。

2023年　後藤周

後藤周　ごとう・あまね
1948年生まれ。1972年から約40年にわたって横浜市の公立中学校の教員を務め、その傍らで横浜ハギハッキョの設立から中心スタッフとして活動。退職後も横浜での朝鮮人・中国人の虐殺事件を検証。その報告書でもある「研究ノート」は150号を超える。本書は初めての著書。

加藤直樹　かとう・なおき
1967年東京生まれ。おもな著書に『九月、東京の路上で』『TRICK「朝鮮人虐殺」をなかったことにしたい人たち』(ともにころから)、『謀叛の児』(河出書房新社)など。

それは丘(おか)の上(うえ)から始(はじ)まった
1923年(ねん) 横浜(よこはま)の朝鮮人(ちょうせんじん)・中国人虐殺(ちゅうごくじんぎゃくさつ)

2023年 9月 2日　初版発行
1800円＋税

作者　後藤 周
編集　加藤直樹
パブリッシャー　木瀬貴吉
装丁　安藤順

発行　ころから
〒114-0003　東京都北区豊島4-16-34-307
Tel 03-5939-7950
Mail　office@korocolor.com
Web-site http://korocolor.com

ISBN 978-4-907239-69-5
C0036
mrmt

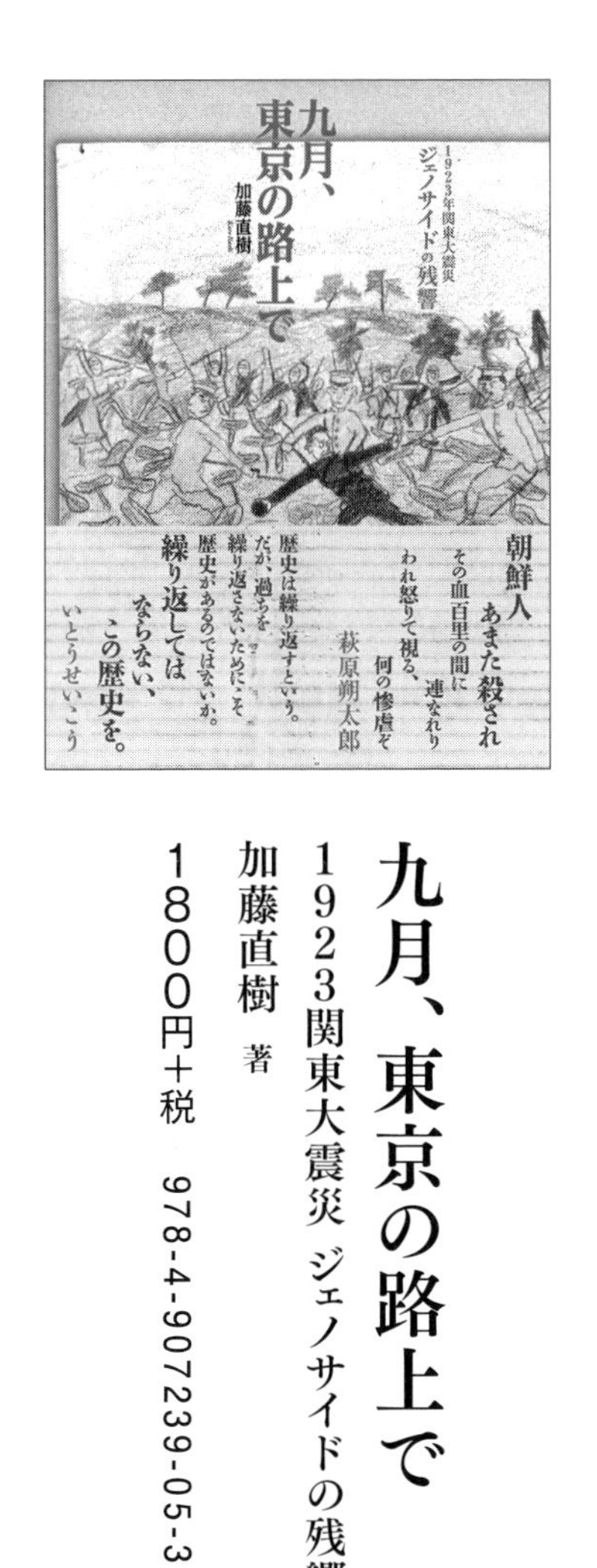

九月、東京の路上で

1923関東大震災　ジェノサイドの残響

加藤直樹　著

1800円＋税　978-4-907239-05-3

トリック

「朝鮮人虐殺」をなかったことにしたい人たち

加藤直樹 著

1600円＋税　978-4-907239-39-8

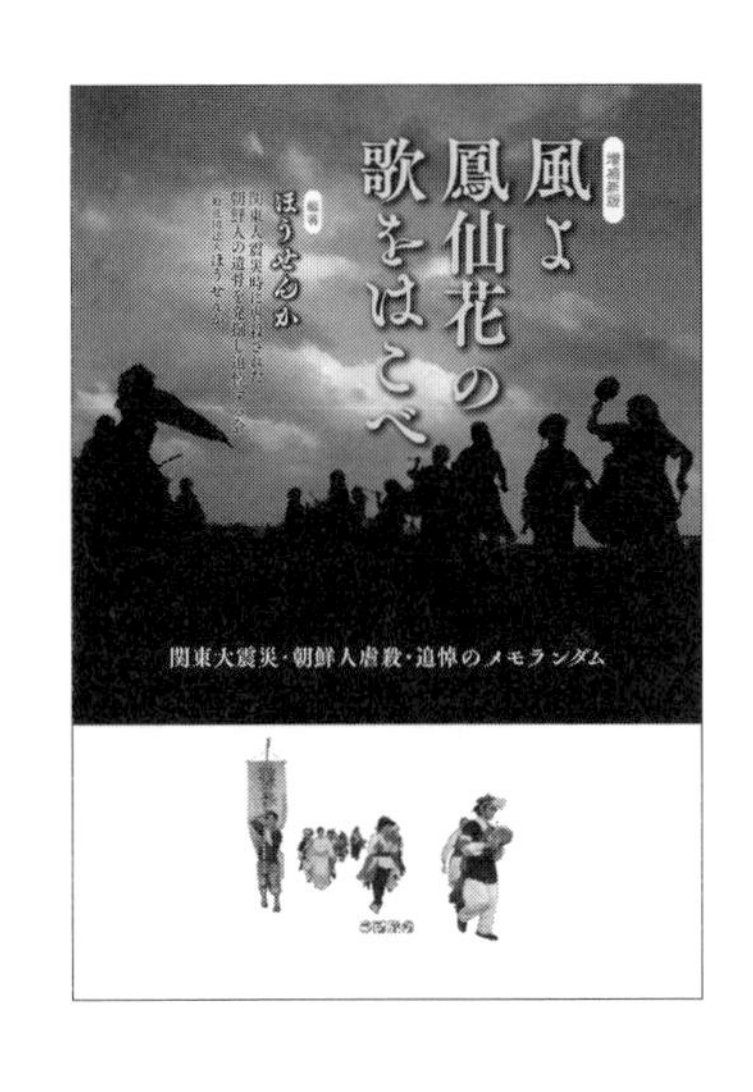

増補新版
風よ鳳仙花の歌をはこべ
関東大震災・朝鮮人虐殺・追悼のメモランダム
ほうせんか 編
2000円＋税　978-4-907239-53-4

【増補版】沸点　ソウル・オン・ザ・ストリート
チェ・ギュソク
加藤直樹 訳　クォン・ヨンソク 監訳／解説
1700円＋税　978-4-907239-35-0

ヘイトをとめるレッスン
ホン・ソンス
たな ともこ／相沙希子 訳　朴 鍾厚 監修
2200円＋税　978-4-907239-52-7

13桁数字はISBN番号